ただ、詩のために

岡田幸文追悼文集

ミッドナイト・プレス

目次

三

ただ、詩のために——岡田幸文追悼文集

詩とはなんだろう　岡田幸文

詩とはなんだろう？　この問いを措いて、いまの僕には、ほかに惹かれるものはない。

「まさに詩だけが人間を回復できるのだ。」（ジュゼッペ・ウンガレッティ）ところで、いま詩はどのように語られているのだろう。思いついて書店の詩書コーナーをのぞいても、自分が知りたいことについて書かれた本を見つけることはむずかしい。また、最近はどんな詩集が出ているのかと書評記事など読むが、これがどうにもおもしろくない。取り上げられている作品よりも、それを取り上げている書き手（「詩人」）のほうが前面に出てきているからだ。そこに、「詩の現在」はない。あるのは、「詩人（たち）の現在」ばかりだ。

詩とはなにか？　それを徹底的に考えていかなくてはならないと思った。そのとき、なにを材料にすればいいのだろう。いかなる材料にもたよらず、独力で考え抜くという道もあるかもしれない。だが、それは僕の能力を超えている。やはり、なにかひとつとっかかりのようなものがほしい。そのとき、いま書かれている詩を材料にすることはむずかしいと思われた。詩とはなにかと考えるとき、対峙すべき「詩の現在」はそこにはないと思われた。「詩の現在」とはなにか。もとより、それは詩の現状を云うのではない。一篇の詩が不可避的に包含せざるをえない桎梏葛藤のありようを云うのである。そして、それを探るには、これまでどのように詩が書かれてきたのか、その一篇一篇をあらためて読み直していくしかない。

（二〇一六年十二月二十五日「聴無庵日乗」より）

一

浮間舟渡《うきまふなど》の午後

八木幹夫

――世紀の黄昏と、詩の黄昏が重なり合うかのように見えるのは偶然なのだろうか、必然なのだろうか。ただ、ここに、詩の詩たる理由を見出すこともできるのだ。言葉と相対することは、すなわち世界と相対することなのだから。――（「詩の雑誌」創刊の辞ミッドナイト・プレス。一九九八年九月　岡田幸文。）

ジョン・レノンの
Imagine や All My Loving の
音楽と声が耳の奥に鳴りつづけ
ウキマフナドの葬祭場で
コウブンさんの骨をひろった
帰路　ショウズさんに誘われ近くの土手にのぼった
みんなまっすぐに帰るのが嫌だったから
十二月の風は少し冷たかったがよく晴れて

ゆくかわのながれはたえずして
ひさしくとどまりたるためしなし＊1
荒川は文語体ではなく
口語体で散文的に流れていた
コウブンさんに呼ばれたひとたち
ここにいなくてここにいるひとたち
ぞろぞろと土手を歩いた
会話も散文的で
どこにも飲み屋がねえんだな　どっかで飲んでいこうぜ
香典をわたし損ねるところだったよ　結局　癌だったのか　どこの
早期発見ていうけれど　おれは知らない方がいいな
むりやり本人に死期を知らせるのがいいのかどうか
香典返しの白い袋をぶらさげていくひとびとよ
　こんなところにムラサキツメクサのかえりばなかんぷうにゆれるくさぐさソトメさんやセオさん
やソエダさんやヤブシタさんやワタナベさんやクタニさんやスガマフサイやミヤオさんやイチカ
ワさんやタニグチさんやモリさんやナカイさんやシバタさんやサガワさんやイサカさんやワシヒ
ラさんやアオキさんやナカムラさんやアサノさんやナカニシさんやカズタミさんやイカワさんや

ミズシマさんやフクマさんやマツシタさんやカワシマさんらの顔がみえかくれ

雑草が手を振る荒川土手
ちかくてとおいひとたち　とおくてちかいひとたち
三途の川ではないけれど　川を見ると落ち着くな
あの向こう岸に立っているものはなんだろう
みんな流れていくおれも流れていくあたしも流れていく
あなたと肩をならべて＊2
一時間ほど前に煙になった
コウブンさんのタマシイの粒子も
無限の宇宙へ流れていく　川風に吹かれて
この地上へ数百億光年を経て
戻ってくるかもしれないリサ・ランドールの＊3
五次元世界はニンゲンには見えないけれど
理論物理学的にはここに実在するんだ
姿かたちは変わっても
エネルギー保存の法則もあったな
凧《いかのぼり》きのふの空のありどころ＊4

涙とセンチメントは禁物だ
ジャスト　ナウ
あなたが好きだったジョン・レノンが
凶弾に倒れた日は一九八〇年一二月八日
あなたがこの地上からいなくなった日は
三九年後の二〇一九年一二月九日
平和の象徴の長い髪の遺影が
黒い皮ジャン着て荒川土手を歩いていく
ジャスト　ナウ
必死に生きてりゃ　死ぬ日を自分じゃ選べない
これは偶然だったのか　偶然の中の必然か
おしゃれな命日の選択
一歩　引きさがるのがあなたの哲学
もう頭の中では　様々な会話が
とぎれとぎれに渦巻くだけだ　記憶は移動するんだ
やっと見つけたファミリーレストラン
ビールをのんだ焼酎をのんだ紹興酒をのんだ

焼きソバをくったチャンポンをくったラーメンをくった
店では喪服を着た男や女たちがしんみりと食欲があった

＊1鴨長明　2岡田幸文詩集名　3リサ・ランドール（宇宙物理学者）　4与謝蕪村
（二〇一九年一二月九日詩人、編集者の岡田幸文氏永眠。一二月一四日浮間舟渡にて。）

（初出「現代詩手帖」二〇二〇年三月号）

幸文さん追慕

八木幹夫

追悼する詩はさみしい
そこにあなたがいるようで
そこにあなたが不在のままだから
けれど
あなたは死んでから
ものごとの真実のかたちを伝えてくる
死とはその人の終わりのようで
その人の始まりなのだ
死によって余分な肉や骨が洗い流され
宇宙の微塵の光を帯びて
この地上に再び帰ってくる粒子

酒を呑んでいる時の
ふとした含羞や笑顔
好みのおつまみを頼んでも
手を付けずに話しかける横顔
相手を優先するお喋りの心遣い
静かな波のような
ソフトな間
いつものことだが
いつか
この静かな波に酔いつぶれるわたし
幸文さん　あなたは
いつも　謙虚な確信を持っていた
肩をならべて
歩いていこう

螺旋系

小林レント

気層ゆらぐよ。十二月の空は
微粒子のひかりで
幾ばくかの線虫たちを走らせている
このかぼそい灯火のその圏外は
寄《よ》す家《が》のない、夜だよ
宇宙群のほとんどが、ただ黙している
ときおり異質な土臭いにおい
音や形象たちを投げやるが
なにを示しているのかも
ほんとうのことはわからない

午前二時、布団に呼吸困難で
正体不明の小学生は
ペンライトの色に発光して沈みつつ

背高猫背のおじさんの
ポケットでエアが恐慌してる
あっちに突っぱりもんどり打ってこっちに
腸《はらわた》。しろく、あまにがさ嘔吐して

笹舟は子ども。三十一艘すべてが座礁したり
あっちこっちから漏水して
なぜなのさ、
なぜなのさ、
ぼくがいま覚えていること

ふるえる手首の礫で覚えちゃいないことになり
衰微する。あるいはまた
オレンジ色にちいさく柔んだ
名も知りえぬ遠い惑星の翳りにて
誰かが思いだす
水辺の骸があるとするなら

「ね。きみは……」
死の川で呼びかけをする
対象ははじめからもういなくて
問いと応えの駆け落ちさあ
だらしなく傾斜した廃ビルの草陰から
幾億のハレーになって、くるくると散らばってゆく

非人称の

溢れそうなかげよ
どこまでも貧しいひかりよ
ハゼランがもう散ろうとしている
「今日は寒くて、よいお天気です。ばかみたいだね」
時は果てるのだ、いまも
あなたは最後のひとすじの呼気を漏らそうとしており
わたしの吸気は拙くて
言ノ葉は
届くかどうかさえさだかでない
時はしかして持続する。いつまでか知れない
この日々の螺旋系を
いくたびも、いくたびも繰り返して

岡田さんのこと――　小林レント

　岡田幸文さんが亡くなられた。六九歳であった。ミッドナイト・プレスの元副編集長、中村剛彦さんによれば、ジョン・レノンの命日の一日後だったという。ああ、部屋にジョンの写真が飾ってある岡田さんらしいなぁと、そう思う。わたしは追いかけるように詩を書いて、その最期のひと息には一日弱ほど間にあわなかった。「もういちど、つぎの何処かの地上で、またすれちがいましょう」とも想う。すべては脳髄の見せる幻視であるのかもしれない。ならばなおさら、わたしはこの一断片に賭ける。

　岡田さんと最初に出逢ったのは、十五年よりすこし以前、初めて詩集を出したときだった。埼玉のご自宅だったと記憶している。おそらくわたしは軽く緊張していたのだと思う。とりあえず焼酎と、あとはベートーヴェンがお好きなようだったので、エトヴェシュ指揮、アンサンブル・モデルンの第5交響曲をCD―Rにこっそりと焼いて、持って行ったのだ。十二年くらい、それから月日は過ぎて、わたしたちも様々な物事に呑まれていった。奔流、といえばたしかに奔流で、ただそれを無理やりに日常と呼んでいた気もする。あるミッドナイト・プレスのこれからをきめる小さな夜会で、岡田さんセレクトのうまい寿司をいただきながら、だいぶ酔いもまわってきたころ、「レントさん、これ覚えてる?」と言って取りだされたのが、あのベートーヴェンだった。音量がすこしだけ大きいわよ、と山本かずこさんにご注意されながら、岡田さんは慈しむように、何かの問いに応えようとするかのように、小さな音を聴いていた印象がある。

それから幾年か、高円寺で友人と梅酎の一杯目を呑んでいたわたしは脳出血になり、失語症かつ右半身麻痺になってしまった。だから右記の詩は久方ぶりに書けた詩だ。救急車で運ばれてすぐ、岡田さんと山本さんは病院に立ち寄ってくださった。もちろん何を言っているのかさっぱりわからないのだけれど、ご夫婦のお姿に妙に安心した記憶があって、その記憶をどこかに写し込みながら、今は福岡市の自宅のベッドに腰掛けている。ときおり散歩や買い物に出かけたりもする。ああ、もうあの人はいないのだ、と夕景を視て思う。そんなとき微醺をおびた岡田さんが、時折はにかみながら、ターミネーター2の真似をして「ミッドナイト・プレス、I'll be back!」と叫んでいたのを、何とはなしに想いだすのだ。脚をひきずりながら、ときおりクスッと、笑ったりする。

岡田さんはなによりも「読む人」だった。そして「書く人」でもあった。これから彼は「読まれつづける人」になっていく。心細い気持ちは若干あるけれど、「いま、詩とは何か」というあの人の最前線の言葉とともに、また沈思黙考の場に立つほかない。岡田さんへの、最期の手向の花である。

岡田君への手向けの言葉

そとめそふ（五月女素夫）

きみの訃報に接し、呆然とその事実を口の中で呟き、…絶句した。
ぼくに言葉あろうはずもない。

弔いの今日まで、きみの愛したビートルズをうすく流して、ただ聴いた。
〝ストロベリーフィールズ（いちご畑）フォレバー〟

奇妙にさびしいこの曲がきみは好きだった。

＊

きみの『いちご舎』から詩集を出したのはいつの頃だったか。

古い友人といえばその通り、ほぼ四〇年の歳月は経つ。…短かった。

折々の詩友たちが離れても、ふたりは酔っぱらい、

「オールマイラヴィング（ありったけの愛）」を、幾つになってもガナリたてたりしたものだ。

楽しかったナ。

すこし前、共通の友人の骨のかけらを二人で箸で拾いあげ、それがきみとの最後になった。

今日、そのきみが骨になって、拾うことになろうとは。

*

ぼくは、きみに、我が儘だったか？

そんなふうに思ったことは無かったけれど、そう思わせないようにしてくれていたのだろうかと、いま考える。

心の内でそっとしてくれているところが、きみにはあった、そういう人だった。

＊

「詩」については（別項が必要だが）、ともかく果敢でブレなかったね。

いちご舎のあとに起こした『ミッドナイトプレス』は、出版人としてもあったきみが、詩精神の錘《オモリ》としての問いを胸に格納しながら、「Just Now」、その表出を目指した。

ゆえに、（泳げない自分に歳いって挑んだことに象徴的なように）、詩の〝現在〟へ挑戦を試みる人（へ原稿依頼し）と共に、呆気にとられるくらい黙々と自らを「Starting Over」した。

若い人たちを尊重し（子供を持たなかったせいなのかナ）、彼らの才能を惜しみなく慈しんでうれしそうだった。

分け隔てなく誰に対しても丁寧な言葉づかいをしていた。

＊

堅物で勉強家。

その奥まった〝知〟を披瀝するのを好まなかった。

己を押しだして語ることは殆どせず、表立つことも避けた。

学生時分から終生かよいつづけた店マダムシルクで、サッちゃんにゆるんだ笑顔でビールを頼み、うまそうに呑むきみが彷彿とする。

じつは人見知りだったが、付きあえば（分る人にはわかる）無邪気な愛すべき男だった。

〝詩〟は彼の命をつらぬいており、最後までまっとうした。

音楽と、酒と、生涯の伴侶たる山本かずこを愛した。

きみよ、素敵な人生だったじゃないか。

＊

別れの夜も更けた…。

すべてを脱ぎすてた今ごろは、もうぼくの知らない清新なる地平にきみは立ち、驚いたときに見せる目をまるくした表情で辺りを見渡しながら、それから、眼鏡を掛けなおす。

明けがたの空は何色をしているのか。

親しかった人たちの方をふり返り、あのほほえみをうかべて、うつむき加減のまま、またゆっくりと歩きだしているだろう。

＊

Nothing is real
And nothing to get hung about

現実なんて無い、執着することなんて無いんだ。

Strawberry Fields Forever

ストロベリーフィールズよ、永遠に。

ーーーーーーーーーーー

※終行3行の英文は、歌ストロベリー・フィールズの詞の終行。

※ストロベリーフィールズは、よく知られているようにジョンが育った家の近所の今はない孤児院の名。戦争孤児が収容されていた。

※「just now」と「starting over」は、岡田が好んで口にした言葉。

「再スタート」は「今」を一過性のものにしない彼なりの方策であり、この二つは、彼が自分自身を励ます言葉でもあったのだと思う。

※岡田幸文といえばプライベートは常に山本かずこが一緒だった。
岡田ひとりと会う時も稀にあったが、そういう時の肩は淋しげに見えた。

弔いのお別れの会で、イタリア文学者のさる女性のスピーチにあった、「お二人は夫婦ではあるのですが、でもどことなく小学生の、それも低学年の男のこと女のこのようでした」という描写は、言い得て妙な、岡田という生の風貌だった。

＊「さしすせ素ブログ」（二〇一九年十二月一四日）より転載。

青いインクの手紙　福本順次

岡田幸文さんが急逝する少し前、広島県は所有する赤レンガの被爆建物・旧陸軍被服支廠３棟のうちの２棟を解体すると発表した（その後保存する方向に変わった）。旧陸軍被服支廠とは旧陸軍の軍服や軍靴を製造していた施設である。避難してきた多くの被爆者がここで息を引き取り、その様子は峠三吉『原爆詩集』の「倉庫の記録」などに描写されている。いまは４棟だけがＬ字形に残り、国が残りの１棟を所有している。

Ｌ字の底の部分にあるその１棟は一九六七年当時大学の寮として使われていた。住所は出汐町官有無番地というのであった。網走番外地は殊に有名だったので、その連想でどんな辺境だろうかと興味津々で赴いた記憶がある。ぼくはそこで約一年半を過ごした。

連作小説「一対」をミッドナイトプレス・ＷＥＢ版で連載させてもらったとき（二〇一六〜一七年）、ひとつの章の舞台をこのレンガ造りの寮にした。幸文さんは原稿を読むとすぐに長い感想を便箋に書いて送ってくれた。その末尾にはいつかあなたの案内でその建物に行ってみたいと思わせる一章ですと書かれていた。それはとても望外な批評で小躍りした。

ぼくの書くものをずっと理解してくれていたほとんど唯一の編集者だった。新しくできたモノは真っ先に幸文さんに送った。ほどなく数枚にわたる、青いインクで書かれた手紙が届く。多忙のなかで真っ先に読んで、詩人・編集者として、疑問なところや共感する部分、ときに励ましのことばをくれるのだった。読み直しているとこんな一節に再会した。およそ三〇年前の手紙である。

「書き続けることで突破するしかない世界を生きているのだなぁという迫力に刺激されます。／小説を書くということは、とにかく恥も外聞も捨て、ひたすら書き続けるということ、プライドを持っていては、突破できない世界なのかも知れません。／LOVE HAS NO PRIDE という歌もあったようです。お元気で。」

詩であれ小説であれ書くことは愛であると幸文さんは、言いたかったのかも知れない。そう思うとすべてが腑に落ちてくるのだった。幸文さんの愛のカタチはずっと不変（普遍）だった。

四〇年におよぶ変わらぬ交誼はぼくにとって依代であり宝物だった。勇気も元気も覇気も幸文さんの方から吹いてきた。近年は何年か毎に逢って話す機会があったが、そのたびに原郷に戻るような気持ちになった。

ちょうど一年半ほど前に「いつの間にか古稀を迎えてしまいましたよ」と韜晦すると「来年の夏にはぼくも七〇歳になりますから」。思いやりに満ちたことばが返ってきた。赤レンガの跡地に行けず、古稀を迎えることもないまま逝ってしまうなんて……。手紙の束を握りしめながら、またこんど、どこかでね、と呟くのだ、ありがとうを言い忘れたので。

岡田幸文さん追悼——存在の料紙

渡邉　一（壱　はじめ）

追悼1——お別れ当日と「土堤の論理」——

二〇一九年一二月九日、岡田さんはお亡くなりになられた。享年六九歳。小生と同年。電車が同じだったのでイベントや催しの二次会、三次会の帰りの車内で「お互い体には気をつけましょう」といつも声を掛け合っていた。よもやのことにことばがない。ただただ無念である。

一二月一四日（土）午前十時、「岡田幸文さんお別れの会」が開かれた。詩人の中村剛彦氏による司会（及び朗読）。岡田さんと長いお付き合いのある詩人の八木幹夫氏、岡田さん・かずこさんご夫妻と長い親交のあるイタリア文学研究者の鷲平京子氏お二人によるお別れの言葉。そして岡田さんの詩の朗読。続けて流された「イマジン」。最後に喪主であるかずこさんのごあいさつ。

中村さんは、元ミッドナイト・プレス副編集長で岡田さんとながく仕事をともにされて来られた方。岡田さんへの深い敬愛の念が滲み出た、生前の岡田さんに語りかけるような司会は、詩の朗読時もそうだったように、朗読される自作詩に岡田さんが耳を傾けている感じがしてしまい、なおさらに死が我々と岡田さんとを分かつのをしずかにそしてつよく拒んでいた。

八木さんは、岡田さんが編集長をつとめた『詩学』以来の長いご友人であり、岡田さんが設立した詩の出版社ミッドナイト・プレス（一九八八年設立）から複数の詩集・詩論を出されているだけでなく、詩誌（「midnight press WEB」ほか）上で主要なゲストとして参加されたり、また近年ではミッドナイト・プレス開塾の「山羊塾」（二〇一五・五〜二〇一九・一一）で一六回にわたって講師を務められたりしてきた。岡田さんが深い信頼をよせて来られた掛替えのないお方（先輩詩人）であった。出会いの折のエピソードの紹介からは、若かりし頃の知らない岡田さんの姿が思われ、詩社設立にかけた思いの紹介には、詩とともに在った、在り続けられてきた岡田さんの人生があらためてつよく思われた。いずれも岡田さんの人柄を髣髴させる滋味溢れた語り口（語りかけ）であった。

鷲平さんは、大きく二つのお話で岡田さんを送られた。一つは、出会いのときの印象にさかのぼってのご紹介とそれを承けたお人柄のお話。一つは、岡田さん・かずこさんお二人の夫婦としての在り様のお話。お人柄のことで印象深かったのは、出会った最初の印象が、比叡山の修行僧のような苦行に身を晒しているような面立ちであったということ、それが語らいを重ねていくうちに、外見とは裏腹にお公家さんのようなナイーブな内面をもっておられたのでと、〝位相差（意外さ）〟を懐かしむようにお話しくださったこと。思わず略歴紹介にあった、幼少期を過ごした土地（京都・下鴨神社の近く）を幼い日の岡田さんの姿のなかに思い浮かべることになる。もう一つのお話——夫婦というよりは仲良し同士の男の子と女の子のような関係であったという微笑ましいばかりの印象談。お二人を知る者にはよくよく合点がいくところであるが、しかしそれだけにかずこさんの深い悲しみが胸に迫ることになる。

そして、中村さんによる詩の朗読と会場に流れた「イマジン」を聴いた後での、かずこさんのご挨拶。憔悴の体から絞り出すために一時を要した発語までの間、途切れがちな声のなかで明かされる入院から亡くなるまでのこの間のこと。あるいはそれ以前の岡田さんが向き合っていた健康状態のこと。無念極まりない早い死。そのお気持ちが終始ことばを詰まらせがちであった。

やがて意を決したように顔をあげられたかずこさんは語る。夫が見出した若い詩人たちや、関わってきた詩人たちが、現代詩の一線でさらに活躍してくださるのを願いますと。それが夫がなによりも望んでいたことと、早すぎる死をどのように受け止めてよいか分からずにいるなかで、夫になり代わって語るかずこさんは、夫の、詩とともに在った生涯の志を彼らに託さずにはいられない。遺影の前で夫を生きるかずこさんの気を詰めたお声だった。

ところでなぜ「イマジン」が流されたのかといえば、自らを詩人への道に導いた契機であったのが、十代（六〇年代ただ中）で出会ったビートルズであったということ。そして自作詩「あなたと肩をならべて」（第一詩集タイトルポエム）の「あなた」とはジョン・レノンにほかならなかったということ。

ジョン・レノンの突然の死に寄せた詩であったにちがいないと紹介された、その自作詩の朗読と「イマジン」を聴き、ご親族並びに多くの友人・知人に見守られて後、岡田さんの魂は、当日の抜けるような蒼い空に還られていった。

会場（式場）は、荒川の傍らにあった。我々数人は、会が終わった後、後ろ髪を引かれる思いで会場をあとにした。ご一人の発案で荒川の土堤にのぼり、そのまま駅方面にしばらく土堤上を歩いた。偶然であったのだろうか、その「ご発案」は。岡田さんからの促しではなかったのか。なぜなら岡田さんの個人誌の最終号に載せられた詩篇は、以下のとおり「土堤の論理」だったからである。

本稿（連載予定）は、毎回送ってくださった個人誌に筆者が送った礼状の転載である。これから号を遡る形で何回かに分けて筆者ブログ（「インナーエッセイ」ハンドルネーム壱はじめ）に随時載せていきたいと思う。岡田さんへの思いを辿り直す作業である。追悼の代わりともさせていただきたい。

◆

「岡田幸文個人誌」の体裁は、少し厚手の真白い一紙の表裏を誌面としたもので、表面には自作詩一篇が載せられ、裏面には連載形式の良寛論がおかれている。さらに版組を変えて〈あとがき〉が加わる。紹介は詩篇部分しかできないが、本来は表裏で一つの世界である。なお、誌面は、〈あとがき〉を除いて本来縦書きであることをお断りしておきたい（註、本稿は元横書き）。

では以下「追悼1」として最終号となった「岡田幸文個人誌　冬に花を探し、夏に雪を探せ。」No.11（二〇一九年九月三〇日発行）に掲載された詩（「土堤の論理」）を最初に紹介し、続けて筆者礼状をそのまま掲げる。

土堤の論理　　　　岡田幸文

いきなりこのわびしい土堤の道が目の前に現われた
　理由を誰に尋ねればいいのだろう
もはや引き返すことはできない
とにかく河口に向かってみよう
歩きはじめると　彼方には何本かの煙突とコンビナ
　ートの建物と思しきものが揺曳していた

なにも考えない
それが歩行の原理であり　土堤の論理であった
土堤を行くものはほかに誰もいない
鳥でも飛んでいればいいのに

どのくらい歩いただろう
やがて河口らしきものが見えてきた
それはしかし地上と空との境界を目くらますかのよ
　うに乱反射する光にさえぎられてかたちをなして
　いなかった

その光に吸い込まれていくように歩いていくそのと
き
これは前に一度歩いた土堤であるということに気が
　ついた
たしか一九六九年の冬であった

（No.11）

〈礼状〉
拝復　甚大な被害をもたらした今回の台風（註、二〇一九年台風19号）。我が家近くの新河岸川も氾濫寸前でしたが、これといった被害もなく無事に済みました。気候変動による今後が気懸りです。ご無事でしたでしょうか。

貴個人誌№11、ありがとうございました。〈あとがき〉*が重すぎて思うような読詩感とはまいらぬかもしれませんが、一二の感想を掲げるとすれば、まずは「土堤の論理」なる、なにか曰くありげな詩題のこと。意味としては途中で明かされるものの、表題化の意図が終始念頭を離れないままであったこと。なるほど土堤とは「なにも考えない」ものの態となるが如くであって、しかも堤上の者をその在り方で一方向に導くもの。かつその定性を誘因として人の思いを前方の景観に膨らませるもの。ときには期待値となって「どのくらい歩いただろう」と感慨深かげな思いに誘うもの。それも含めて「論理」内として解すべき詩行の連なりかと思いきや、実は最後の一行の伏線でしかなかったこと。その意表を衝く結末――「たしか一九六九年の冬であった」の切り上げ感とその結実度。仮の姿でしかなかった「論理」。ここに至って一気に立ち上がる詩想。あるいは新規の「論理」。かく結末に立ち会ったものは、本詩が回想に辿り着く形を借りながら、じつは回想を生きなおす、はじまりの断定形であったことに思いが至り、それまでの土堤の形状を真似たかのような各連の長行形を前に、それが導くはずだった予定調和に裏切られる形で、実は詩的構造としては短行形にしかるべく軸足が置かれていたこと。仍って、その伏在感に目覚ましい詩的緊張感を味わったこと、等々であった次第です。

再刊の日を鶴首しつつ、御身のご快復を祈念して止みません。

二〇一九年一〇月二三日

渡邉　一

岡田幸文様

＊「〈あとがき〉突然ですが、この「冬に花を探し、夏に雪を探せ。」は、今号をもって休刊させていただくことにしました。理由は筆者の体調によるものです。身体のことばかりは思い煩っても仕方ありません。いまは静養に努めんと思い定めました。短い間でしたが、ご愛読いただき、ありがとうございました。みなさまのご健康をお祈り申し上

げます。（岡田）」

（壱はじめブログ「インナーエッセイ」二〇一九・一二・一五記）

追悼2――詩篇の在り様――

ここでは引き続き、№10（二〇一九年七月三一日発行）と№9（二〇一九年五月三一日発行）に掲載された詩篇並びに礼状を掲げる。

日誌的に記せば、発行日近くでは、№10の場合、八月一〇日（土）にミッドナイト・プレス第15回山羊塾（「石川啄木と若山牧水「現代詩に受け継がれるべきその近代性と流浪」」が、№9の場合、六月八日（土）に同第14回山羊塾（「金子光晴『松本亮　金子光晴にあいたい』を読んで」）が開かれている（ともに会場は東京芸術劇場ミーティングルームで講師は八木幹夫氏）。

詩塾後の二次会・三次会。とりわけ三次会として定席的になった、池袋駅西口の路地裏の一角にあるこぢんまりとした某大衆酒場二階席での、講師を筆頭（？）とした居残り組の懇談。東京芸術劇場が建てられる前のかつての池袋西口公園周辺は、現在とはまるで違った雰囲気で、路地裏を流れる空気には、どこか薄暗い厭世的なイメージがあった。岡田さんや僕らの年代には、それが（どこか世間から離れた隔離的な雰囲気――時代を遡れば闇市からさらには戦前・戦中の、多くの前衛的な画家たちをはぐくんだ池袋モンパルナスに繋がるかもしれないようなそれが）かえって居心地いいことになるわけだが、構えだけでなく店の主人にも当時の面影が色濃く残っている酒舗内では、とくに日本酒が好きな人（岡田さんもそのお一人）にとっては自然とお酒の進み具合もよくなってしまうことになる。

ではその折の、ときに現代詩の在り様に熱くなっていた岡田さんを思い浮かべながら、遡及的にまずは№10から。

偶作

岡田幸文

東山に月が出た
それははじめて見る月のようであった
月の光は明らかであった
そのとき明らかにされたものはなにもなかったのだ
が

気を取り直して川岸のビヤホールに入ると
洞山和尚が生ビールを飲んでいた
なにか見透かされたような気がする
和尚と背中合わせの席を選んで生ビールを注文した

闇は深まるばかりだった
だが闇が深まるにつれて見えてくるものもないわけ
ではなかった
闇が闇を殺すこともあるのだ
そのときすでに和尚はいなかった

外に出ると月の光はいよいよ冴えていた
橋の上から川の流れを眺めると
それは生きている龍のようであった

（№10）

〈礼状〉

拝復　ようやく猛暑も一段落の気配。その後お変わりなくお過ごしのことと存じます。

さてこの度は、貴個人誌№10をお届けくださいましてありがとうございました。まずは10号という節目を迎えられたことに敬意とともに祝意を表します。今号の一篇、思うに、詩題こそは「偶作」とありますが、良寛論を拝読するかぎりは、裏面との「合作」（合わせ技）として読み取るのを許した一篇かと。たとえば「生ビール」のこと、ジョッキを傾ける洞山和尚の姿のこと――それを思わず「受食、乞食」*の食（飲）にとってしまうのも、決して不謹慎とは思えず、かえって現代の仏道との縁を巷の一隅にて果たす機会が招来されているかのようで、結果、和尚を挿んだ前後連のもの思いがちな語り口にも、また詩篇全体にも、〝偶（たまたま）〟以上の機縁を孕んだ詩行の挿入が企図されていたのを知ることになります。しかも「闇が闇を殺すこともあるのだ」の穏やかならざる一行などは、「そのときすでに和尚はいなかった」にしても、じつは図らずも「背中合わせ」に交わされていた問答に応答した文句ではなかったかとも思え、牽強付会が過ぎているかもしれませんが、読詩を再読へと誘う「縁」としてくれるのです。一言、感想まで。ご自愛のほどを。

二〇一九年八月二〇日　　渡邉　一

岡田幸文様

＊「これから良寛と托鉢について考えていくのだが、そのテキストとして取り上げるのは、良寛の「請受食文《しょうじゅじきもん》」という詩である。良寛は、このほかに、「勧受食文」という文章も書いているが、いずれも托鉢（受食、乞食）が修行僧のいのちであることを表明していて、ほぼ同じ内容である。念のため、それぞれの冒頭を引いてみよう。／「食を受くるは仏家の命脈なり」（「請受食文」冒頭）／「夫《そ》れ僧伽の風流は、乞食を活計と為す」（「勧受食文」冒頭）（№10より部分）

次は№9。

川に沿うて　　岡田幸文

むらさき色のもやがあたりを覆いはじめるころ、私を誘うものがある。そのなにげない仕草は、私を愛しているのだろうか、それとも憎んでいるのだろうか。いや、それはただ、私を誘っているだけであったのかもしれない。二度と戻りたくない道へと。それにしても、そんなことをして、いったいどうするのだ。

川が流れている。川が流れていた。川の流れをしばらく眺めていると、水がある動きを周期的に繰り返していることに気がついた。それは川が終焉に向かっていることを語っているかのようであった。

川に
沿うようにして、道を歩きはじめる。それは二度と戻れない道を行くことでもあった。すると蠢くものたちがいる。浄化されていない音や映像が川面を流れていく。そのとき、許されるものがある。価値はなにによってはかられたのだろうか。

川の起源をたずねることは可能だろうか。いや、ここではそれを問うことは禁じられていた。断念ゆえにか。あるいは悔恨ゆえにか。

道
を行くものはすでにひとではない。川を流れるものはすでにものではない。名づけられないものたちがさまよっている。さまよいながら、散乱していく。赫く光り輝くものに摂取されていくかのようにして。

（№9）

〈礼状〉

拝復　真夏日に見舞われている昨今、お変わりなくお過ごしのことと存じます。

　貴個人誌№9ありがとうございました。まずは「川に沿うて」の一詩拝読。まるでそれ自体（詩体の視覚性自体）が川の流れを表しているかのような、しかも途絶えがちな川筋が任意に細流を寄せ集めて未明の先に新たな一本と化した本流の川筋をつけよう（求めよう）としているかのような、いずれにしても自らが先頭だって困惑を深めているあたり――それが「川に沿うて」の、憂愁感漂うタイトルの詩情を見事に裏切ってみせる内容の難解性と合わさって、その位相差を読詩に埋めこむ本詩篇の独自の味わいの仕掛けとなっているようです。加えて待ち受ける良寛詩「托鉢」*の高い吟（志）と合わせて読み直すと、それはそれでまた別な味読感に誘うのも本号の詩誌としての企みなのではないでしょうか。五合庵を訪れた由**、良寛との日々がさらに深まるものと次号を鶴首しております。一言お礼まで。

　　二〇一九年六月六日

岡田幸文様　　　渡邉　一

＊「我兮亦是釈氏子（われまたこれ釈氏の子）／一衣一鉢迥灑然（一衣《いちえ》一鉢《いっぱつ》はるかに灑然《さいぜん》たり）／君不見（君見ずや）／浄名老人曾有道（浄名《じょうみょう》老人かつて道《い》うあり）／於食等者法亦然（食《じき》において等しき者は法もまた然りと）／直下恁麼薦取去（直下《じきげ》恁麼《いんも》に薦取《せんしゅ》し去れ）／誰能兀々到驢年（たれかよく兀々《ごつごつ》として驢年《ろねん》に到らんや）」（良寛作「托鉢」の最終七行のみを№9から転載）

＊＊「五合庵をたずねたとき、ここに良寛はいたのかと、その孤絶の相に絶句した。」（同〈あとがき〉より）

（同二〇一九・一二・一七記）

追悼3（結）――存在の料紙――

創刊号の№1（二〇一八年一月三〇日発行）まではまだ先がある。№8（二〇一九年三月三一日発行）と№7（同年一月三一日発行）まで、ちょうどそれは今年分になるのだが、二号分だけを掲げてひとまず擱筆する。〈未了〉のままであらためて岡田さんのことを考えてみたい、そう思ったのである。

ただこうして「竝び机の詩窓」のタイトル（ミッドナイト・プレスHP上に連載してきた筆者の詩論のサイト名）のようにして岡田さんの詩に竝び立つように向かい合ってみて、その存在の在り様にいろいろに思いが至る。思うところをすこしだけ書きとめておきたい。

その前に引き続きの形で№8と№7の詩篇と礼状を掲げることからはじめる。まずは№8から。

海の思い出　　岡田幸文

水平線をながめていると
鎌倉の海だったが
むこうからなにか得体の知れないものがやってきて
ここから先には行けぬという

夢を見ていたのだろうか
メキシコの海岸だったが
津波に襲われたものたちが波間に漂っていた

そのとき
天から垂直に駆け下りるものがあった
それは私の身体を刺し貫き
そして地心に向かった

目が醒めた
丹後の海辺だったが
生まれたばかりの赤子が母親と戯れていた
（No.8）

〈礼状〉

拝復　満開の桜の花が処々に咲き乱れている昨今、お変わりなくご健勝にて日々をお過ごしのことと存じます。

貴個人誌No.8ありがとうございました。こうして戴くたびに一紙が一誌として反復されかつ重なりとなっていく様が、なにかしずかに時を刻む漏刻のようにも思われ、忙しさにかまけている心がしばし静まりかつ正される思いです。そう思うときの今回の詩篇――「時」の繰り返しの原初ともいうべき打ち寄せる波に対面する内景。高まる叙景。杳として行方知れない海景の広がり。その異なる海・海岸への思いを膨らませていた最中の、まさに「そのとき」の天地間を貫く一つの覚醒。何事かの思いを「地心」に向けながらも佇むのは再びの海辺。そして目にする眼前の戯れ。循環とも再生ともいろいろに読める本詩篇。「一紙」と共にあることがかえって叙景性を際立たせているようにも思え、あらためて心静まる思いで貴誌を手にしているところです。良寛論*、「アフォリズム」**とも味読しました。次号を楽しみに、一言お礼まで。

二〇一九年四月七日

渡邉　一

岡田幸文様

＊「円通寺（良寛が一二年間修行を積んだ寺、現倉敷市。引用者註）を出たとき、良寛は「僧」と、「寺」と、別れたのだと思う」（№8より）の意味合いを良寛詩から読み解こうとしていた同号「良寛論」のこと。
＊＊「〈あとがき〉シオランのアフォリズムに惹かれるのは、箴言のなんたるかを実践しているからだろうか。「音楽とは悦楽の墳墓、私たちを屍衣でつつむ至福」ということばは、my favorite things のひとつだが、「アフォリズムというものは瞬間の真実なのです」というアフォリズムもまた味わい深い。（岡田）」

次は№7。

第二章　　　岡田幸文

捨てられているものがある
捨てる人がいたということか
夢を見る
夢を見られたということか
わたしはまたしてもその門の前に立っていた
なぜ　あの角を曲がらなかったのか
そこにだれもいないことはわかっていたのだから曲がることはできたのに

門の前は無人だった
捨てられたものはそのまま朽ちていくのか　それとも
風に吹かれながら転生していくのか

空を見上げると鴉が西の方に飛んでいくのが見えた
遅れてやってきたものが　いまあの角を曲がっていく
（№7）

〈礼状〉
拝復　このところ寒暖差の激しい日々が続いておりますが、お変わりなくお過ごしのことと存じます。
この度は、貴個人誌№7をお送りくださいましてありがとうございました。着実に二年目（あるいは「第二章」にも読むべきでしょうか）に入られたこと、ご同慶の至りです。まさにあらたな幕開けかと存じます。雑然とした世の中にあって、浄福感を味わえるような静謐感漂う誌面に襟を正される思いです。

そして継起的かつ新規にも問いただされるものの、その一回性を担う、詩篇や散文が、今回もいろいろに時間や空間の隙間に働きかけ、「人」の気配をたっぷりと忍ばせて、現代社会に敲くべき「門」＊があるのかさえまでも問わしめる、そのような視角を切り開かれているかのようです。また一年、貴誌の読者となれる喜びに感謝を抱きつつ、感想にもなりませんが、一言お礼まで。

二〇一九年二月吉日

岡田幸文様　　渡邉　一

＊　毎号の詩篇は、号によっては明らかに良寛論とのコレスポンダンスとして「合わせ技」として読むことでまた異なる味わいが得られる。この「門」に触れたのは、同号に引かれた良寛詩「五合庵」との照応（交感）の在り様におおいに触発されたからである。「五合庵」は、岡田さんにとって特別な時空である。以下良寛詩を転載しておきたい。

五合庵

索々五合庵　　索々たり　五合庵
室如懸磬然　　室は懸磬《けんけい》のごとく然り。
戸外杉千株　　戸外には　杉　千株《せんじゅ》
壁上偈数篇　　壁上には　偈　数篇。
釜中時有塵　　釜中《ふちゅう》ときに塵あり
甑裡更無烟　　甑裡《そうり》さらに烟《けむり》なし。
唯有東村叟　　ただ東村の叟《おきな》ありて
頻叩月下門　　しきりに叩く　月下の門。

◆

ここまで詩篇を掲げてきて（読み返しでもあったのだが）、あらためて岡田幸文さんのことを、その存在の在り様として稀なるところをしきりに思う。自分のことをほとんど語らない岡田さんが、ある意味、自らを進んで表に出してきたのが、この「岡田幸文個人誌　冬に花を探し、夏に雪を探せ。」である。思うのは、この個人誌の体裁である。岡田さんが、自己表出にあってなにかを自らに許したものがあるとするなら、なによりもこの体裁であったと思われるのである。

送られてきた同誌をはじめて手に取ったときの印象はとても新鮮だった。驚きと言い替えた方がいい。とても普通の郵便物には思えなかった。その折の思いを含めて礼状に次のように認めた。

とても美しい紙面。鮮やかな墨跡も麗しく料紙を際立たせるかのようです。良寛の「文筆詩歌」への厳しさが、この、なにか日常の中に予め枠取られたかのような、森閑とした一畳の間の中でどのように読まれ応じられていくのか、次号を鶴首しております。（「№1」への礼状より）

すでに記したように個人誌の体裁は、「少し厚手の真白い一紙の表裏を誌面としたもので、表面には自作詩一篇が載せられ、裏面には連載形式の良寛論がおかれている。さらに版組を変えて〈あとがきが〉が加わる」。補足すれば、版型は三つ折り（巻き込み型）のA4版で、誌名となる墨痕鮮やかな「冬に花を探し、夏に雪を探せ。」が、あたかも一幅の掛け軸のようにして折り面の一頁分を表紙としておおきく飾っている。その設え感の端正さもあって、体裁全体をまさに現下のなかにおける「森閑とした一畳の間」と評した所以であるが、新鮮さを際立たせていたのはそれだけではない。紙である。白一色の、白が色として放つ彩である。別の号ではこう書き送った。

かく一篇の詩とともに送り届けられる真白いレター（個人誌）。それが疎ましい現下の雑然とした世情のなかで特段に「白さ」を際立たせてならないわけです。（「№5」・「№6」二号分礼状より）

郵送には透明なフィルム封筒が使われている。まさに「疎ましい現下の雑然とした世情のなかで」と、その白さを特別なものとして目にとめざるをえなかったのもそれ故である。単なる白さではない。自らを深める白さである。

かく深めるのは、あるいはフィルム封筒のもつ透明さであるかもしれない。正確には介在としての透明性である。しかしそのことで岡田個人誌はなにかを手中にする。透明性とは、まさしくこの場合、明晰性にほかならないからである。

岡田さんは多弁を競うことはない。相手を説き伏せる口調にもならない。人の先に立たない。そもそも立とうとしない。人格としてだけでなく思想としてもそうなのである。岡田さんのそうした人との対し方、人を前にしたときの内面の保ち方、要するに人としての在り様の前にこの個人誌があるのである。

明晰性に言及したのも、他に向けて送られる〈レター〉の姿かたちをとっていても、なにより真っ先に自己の在り方に向けられた自己宛便にもなっていたからである。しかも自分を試すその強い方そのものが、明晰性をその都度求めかえして止まない形にもなっていたのである。白としての、一紙としての、その在り方が生む「明晰性」だった。すでに明晰性とは存在性の謂いにもほかならなかった。ゆえに思ったのである。この個人誌（真っ白いレター）は、まさに岡田さんにとって「存在の料紙」にほかならなかったと。

――違いますか、岡田さん。

合掌

（同二〇一九・一二・二一記）

私の中に生きている岡田幸文さん……

菅間　勇

訃報は、やはり突然のようにやってきた。ミッドナイト・プレスの社主で、詩人の岡田幸文さんが令和元年十二月九日午前二時五分に亡くなられた、と報らせをくださったのは詩人の八木幹夫さんだ。岡田幸文さんの訃報は、わたしたち夫婦にとってはとても衝撃だった。

岡田幸文さんは、いつもあまり多くを語らず、わたしたちの話を「うん、うん」と静かに聴いてくださり、いつも笑みをたやさない受け身で穏和なひとだった。十二月十四日（土）の『岡田幸文 お別れの会』へわたしたちは夫婦揃って、岡田幸文さんと山本かずこさんご夫妻に逢いに行った。岡田さんとわたしとは同い年で、彼は六九歳で逝ってしまったことになる。妻の山本かずこさんは一人残されてしまった。

岡田幸文さん、山本かずこさんご夫妻といつ頃、どこで知り合ったのか憶えていない。三十数年ほど前からすでにお付き合いをさせていただいたことは確かで、たぶん評論家の芹沢俊介さんから「凄い詩を書く詩人さんがいるんだよ」と紹介していただき、お二人にお逢いし、以後ご懇意にさせていただいていたと思う。たいてい都内の喫茶店とかでお逢いするのだが、岡田さんと山本さんはいつもご夫妻で、わたしたちも夫婦で揃ってお逢いした。妻は山本さんと逢うたびに急速に仲良くなっていくようだった。

岡田幸文さん、山本かずこさんから贈っていただいた詩集は必ず夫婦で読ませていただいている。詩に素人のわたしはただただ「凄いなあ」と感想を抱くだけで、岡田さん、山本さんの書かれた詩について哀しいかなお二人にお話しする言葉をなにひとつもてなかった。大変に申し訳ないと思っている。

わたしは、岡田さんの詩業について語ることはできない。わたしが語ることのできるのはごく僅かなことで、わたしのなかに存在する岡田さんの、無償で空白の愉しい時間の過ごし方、についてだ。彼岡田さんの『midnight press』や彼の個人詩誌『ＤＡＮＣＥ！』の「あとがき」は愉しかった。彼が編集の仕事が一段落したときとか、詩作が終わって肩の力を少し抜いてビールでも呑んでいるときとか、彼が休息を交えながら大好きなビートルズの歌の歌詞を日本語へ翻訳している文章は、彼の人となりを感じることができる。どのように翻訳したらよいか考え悩んでいる彼の難しい顔、言葉がピタッと決まった時の子供のような彼のうれしそうな笑顔、そんな彼の表情が浮かんできて、読みながらこちらもうれしい気分になってくる。というより、岡田さんはこの翻訳の時間を至福のときとして大切にしていたのではないだろうか。事実、彼の「あとがき」にはビートルズの話がよく語られている。

●〈オール・マイ・ラヴィング〉については、ジョン・レノンの次の言葉に尽きるだろう。

「これは残念なことにポールの曲だよ（笑）。原稿にここで「笑」と入れといてくれよ。くやしいほどいい曲さ。（歌い出す）バックで思い入れたっぷりのギターを弾いているのがぼく」

この歌についてはなにも言うことはない。とにかく最高！

好きな酒場で好きな人と酒を呑んでいるとき、この歌が流れてきたら、明日も生きられると僕は思うのだ。

ところで、この詩の訳はむずかしかった。

「I miss you.」とか「I'll be true.」あるいは「I'll pretend……」など、シンプルな言葉が繰り返されるばかりなのだが、そのシンプルが容易ではない。

ともあれ、「オール・マイ・ラヴィング」という言葉と「くやしいほどいい」メロディとの結合がこの歌の成功の理由だろう。

オール・マイ・ラヴィング

（訳：岡田幸文）

目を閉じて！　キスさせておくれ
明日になれば　君はいない
だけど　僕はいつだって君のことを考えていることを忘れないでほしい

君に会えなくても
僕は毎日手紙を書くよ
そして　僕の愛の全部を君に送ろう

キスするふりもするだろう
君はいないのに
ああ　君と一緒にいられたら

君に会えなくても
僕は毎日手紙を書くよ
そして　僕の愛の全部を君に送ろう

僕の愛の全部を君に送ろう
ダーリン　僕の心は変わらない
僕の愛の全部を君に送ろう
いとしい人よ　僕の心は変わらないよ
僕のすべての愛
愛の全部を君に送ろう

☆『ＤＡＮＣＥ！６』（一九九三年三月二〇日発行）発行人：岡田幸文。

岡田幸文さんが「詩」を書くときの心身の構えを脱いだ文章を読むと、なぜかほっとするのだ。キーンと冷えたビールを呑みたくなってしまう。別に詩人でなくとも、誰でもそうだろうと思うけど、「遠くまで行きたい」という願望と、「このままでいいんだ、遠くまで行けなくとも」という、その二つの気持ちは岡田さんのなかでちぐはぐに存在しながら同在している。岡田さんのあの笑顔を思い出すと、岡田幸文さんはそういう人だったように思えてならない。つまり、だれもが〈無償で空白の愉しい時間の過ごし方〉を密かに抱いて生きている。身勝手な言い分だが、岡田幸文さんの文章の「ほっとする」読後感のなかには〈じぶんの立ち位置をしっかり見つけ、ゆっくりでも歩みを続けなさい〉という彼の無声の激励の言葉が織り込まれていて、どれだけ救われたことか解らない。

岡田幸文さんと山本かずこさんは、ほぼ三十数年にわたり、毎回のようにわたしたちの芝居を見に来てくださった。最後にいただいた岡田さんのわたしたち馬鈴薯堂の『光合成クラブ・Ⅱ（二〇一七年十一月）』という芝居への手紙の全文を引用したい。

菅間 勇 様
稲川 実代子 様

冠省　昨日の「光合成クラブ・Ⅱ」、たいへんおもしろく、よい時間を過ごすことができました。どこがよかったのか、考えてみたく、以下、思いつくままに記してみたいと思います。

この「光合成クラブ・Ⅱ」は、二十三年前の台本のリメイク版ということですが、物忘れの激しい僕にはもとより二十三年前の芝居を思い出せるはずもなく（「光合成クラブ」というタイトルはかすかに記憶にありますが……）、菅間さんの新作を見に行くという気持ちで江古田に向かいました。

ところで、芝居が始まる前に、配られたチラシにあった「見果てぬ夢」という菅間さんの文章を読んだのですが、これがいつにない迫力が感じられ、どんな芝居が目の前に現われるのだろうと、開演のベル（口上）を待ちました。

結論（?・）を先に云えば、「光合成クラブ・Ⅱ」は、二〇一七年、安倍政権下の日本を描いた問題提起的作品であると同時に、芝居の可能性に向けて無償の挑戦を試みる菅間勇（台本）・稲川実代子（女優）のおふたりに勇気を与えられる作品であると思いました。

印象に残ったシーン、あるいはセリフはいくつかありますが（それは、「カメラを一箇所に据え、公園内での風物を映し出した（作り出した）もの」であるがゆえにリアリティを持ちえていると思いました）、まず女優・稲川実代子の存在感がハンパでなかった。和田アキ子の歌（だったと思いますが?）を歌う稲川さんは、女神降臨ともいうべき、オペラに満ち満ちたもので、オペラのアリアを聴いたような興奮を覚えました（思わず「ブラボー！」と叫びたくなるほどでした）。それはその後の踊りのシーンにも現われていて、稲川さんの身体の動きは神業としかいいようのないものでした。

また、高橋広吉さんによる難病者の言語表出、村田さん（加藤和彦です：菅間注）による世界の言葉のアラカルトなどのシーンは、「生活の場面で瞬間に生成し次の瞬間には消滅してしまう」もののカタログのコラージュのようでもあり、忘れ難い印象を残しました。

今回の芝居が成功している理由は、菅間さんの問題意識が役者全員と共有されていること、結果として役者のみなさんが生き生きとしていること、そうであるがゆえに可塑的な情況が観客と共有されていることなどにあると思いました。

いつも芝居のご案内をありがとうございます。「未知へと向かう芝居へのぼくの哀しい見果てぬ夢」を生きる菅間さん、そして稲川さんのさらなるご活躍をお祈りしています。どうぞ、お身体をお大事にされますように。

草々

二〇一七年十一月三〇日

岡田　幸文

岡田さんはいつもこんな具合に、時には声で、時にはあの笑顔で、わたしたちの貧しい雑音芝居へ激励を送ってくださっていた。以下、わたしたち馬鈴薯堂の芝居「光合成クラブ・Ⅱ」の当日の挨拶文です。

～　見果てぬ夢　～

本日は、ご来場ありがとうございます。

ぼくは、四～五本に一本の間隔でまったく意味不明の作品を作る男といわれています。今回の「光合成クラブ・Ⅱ　～男のいない女たち～」もそんな意味不明の作品です。作品内容は、ＮＨＫの「ドキュメント72時間」みたいに、東京タワーの見える名もない小さな公園の、夜の十時から一時間ほど、いわばカメラを一箇所に据え、公園内での風物を映し出した（作り出した）ものです。

もちろん、頭も尻尾もないこんなものは芝居ではないといわれるでしょう。それはよくわかっていますが、でも、ほんとをいうと、芝居にもならないこんな非・芝居を作りたくて、四本か五本に一本作ってきました。なぜ、そういう芝居を作りたいとおもっているのか。

ぼくは、言葉としての「物語」を書く力はありません。かろうじてぼくに書きとめることができるものは、それは一般の生活者のだれでもが日々の生活のなかで脳裏に書きとめているものと同じで、生活の場面で瞬間に生成し次の瞬間には消滅してしまう、生活のなかのごくありふれた小さな幸せであったり、悔恨の暗い心であったり、そんな心のうちで束の間泡立ち、そして消えてゆくだけで、言葉以前の痕跡はのこるけれど、言葉にはとどめえないものたちばかりです。

また、ぼくの無知な思い込みを率直にいえば、重なり合ったもう二つの理由があります。芝居は「物語」の風下にいつまで立っていなければならないのか、という孤立感。いま劇は「詩」に近づきたがっているという表象（演技）の純化へのあこがれ。もちろんこの重なり合った課題はぼく固有の妄想に過ぎませんが、そんな心の底から湧き昇ってくる妄想（未知へと向かう芝居へのぼくの哀しい見果てぬ夢）をかなぐり捨てて芝居らしい芝居を作っても、ぼくには芝居を作ったことにはなりません。

今回も、ぼくの力不足で、芝居にまったくなっていないとの感想のあることは充分に承知していますが、それでも力一杯、観客のみなさまに楽しんでいただけるよう頑張って作りました。

六〇分と少しの芝居です。ぼくの見果てぬ夢を、厳しい眼差しでご覧下さい！

２００５年の忘年会。
左より、山本かずこさん、吉本隆明さん、
菅間、岡田幸文さん。

＊　＊　＊

わたしが故吉本隆明さんのミーハー読者であることを知っていた岡田さんから「一緒に吉本さんの忘年会に遊びに出かけませんか」と突然のお誘いをうけた。その歳の忘年会は二〇〇五年の暮れも押し迫った十二月二八日で、吉本さんと一度お会いし、お話しをしてみたいと思っていたわたしのミーハーぶりを岡田さん、山本さんは見透かしておられて、先回りして誘ってくれたのだ。当日は、わたしども夫婦は上気して、岡田さん、山本さんご夫妻のお尻にくっついて吉本隆明さんを囲む忘年会へお邪魔した。

吉本さんと話しておられた岡田さんから「こっちに来たら」という手招きをうけ、お二人の近くへおずおずと歩み寄った。岡田さんから「芝居の中村座の台本・演出の金杉（忠男）さんのお弟子さん筋にあたるような感じの菅間さんです。芝居をやっている方です」と、はじめて吉本さんにご紹介していただき、吉本さんの第一声は「あ、そうですか、金杉さんの。まだ金杉さんは芝居をやっておられるんですか？　そうですか」。

話が弾んだのは、来年（二〇〇六年）の春になったらわたしたちは妻の亡くなった母と伯母、その二人の遺骨を故郷天草へ分骨に行くという話になってからで、妻の母の故郷熊本県天草郡苓北町志岐は、偶然にも吉本隆明さんのご尊父の故郷と同じで、それも吉本家のごく近くに母と伯母は住んでいたらしいということで、話しが盛り上がった。

痴呆がはじまっていた母に、妻は、

「志岐村の吉本さんて、知ってるか？」

「知ってるヨー。船、造ってた家だろ？　吉本さん。……あー、だけど知らないまに、みんないななくなったよ」

　オキノさんの痴呆が始まったばかりの頃、私の質問に得意気に即答した。天草志岐村でのオキノさんが十歳頃までの記憶に〝吉本さん〟は残っていた。吉本さんというのは、あの〝吉本隆明さん〟のお父様、お母様たちのこと。チヨさんとオキノさんが生まれ育った家と、吉本造船所は目と鼻の先にあった。吉本家が一家をあげて志岐村を出るまで、チヨさんとオキノさんは隆明さんのご兄弟と遊んだかもしれない。そして、チヨさんとオキノさんのお父さんが所有していた船〝大島丸〟は、恐らく吉本造船所で作ってもらったものだ。
☆稲川実代子著「もういいよ」より引用。

　吉本さんは笑顔で「天草へ出かけて、どなたかの家へお邪魔するようなことがあるのでしたら、その家の仏壇にまず手を合わせてください。それと現在の天草では大きく三つの宗教があります。キリスト教、浄土真宗、禅宗です。禅宗は天草の乱のあと宗教がないと困るだろうからと徳川家が禅宗を天草へ持ち込んだものなんです。」と吉本さんが話してくださった。


　確かに天草の母の親類の家へ寄ったとき、仏間自体が大きな一つの仏壇みたいに映った。

　最初で最後のたった一回きりだったが、こうして岡田さんと山本さんのお世話で吉本さんにはご迷惑だったかもしれないが、わたしと妻にはなによりの愉しい思い出となった。それも、もう十五年前のことだ。

岡田さんと山本さんには、お世話になりっぱなしで、わたしのうけたたくさんの様々なご親切をお返しする前に岡田さんは亡くなられてしまった。

さようなら、そしてありがとうございました、岡田幸文さん。

令和二年八月三日

＊「菅間馬鈴薯堂通信」より転載。

岡田幸文氏のこと　里中智沙

私事ですが、

今までに四冊、詩集を作りました。

その内の三冊をお世話になった、ミッドナイトプレスの岡田幸文氏が、二〇一九年十二月に亡くなられました。

それを知ったのは二〇二〇年の一月十五日。伴侶の山本かずこさんからの喪中欠礼の葉書によってです。

私は文面の意味がのみこめず、リビングに突っ立ったままぽかんと葉書を見つめていました。悪質なイタズラではないかとさえ思ったのですが、宛名の筆跡は紛れもなく山本かずこさんのものでした。

正直、今も信じ難く、ましてその時は何をか言わんやで、すぐには返事も書けず、しばらく頭が混乱していたというか、ぼおっとしていました。

詩集作成には本当にお世話になったとしか言いようがない。真剣に原稿に向きあって下さり、従ってチェックはとても厳しく、かなづかい、文字づかい、ルビ、註、句読点、漢字の正字・俗字、旧字・新字… あらゆるところに細かく鋭いチェックが入った。自分で言うのも変だが、私はかなづかいや漢字を決しててきとうに選んでいるつもりはないのだが、一つ一つの指摘に自分の甘さを思い知らされ、毎日のように国語辞典、漢和辞典、古語辞典を引き（何冊も）、全てのことばを一つ一つ確認し、ことばと格闘（?）し、煮詰めていく作業の日々。多くを学んだ、などとありきたりの言葉ではとても収められない。自分の限界まで絞り出されるようで何度も音を上げそうになった。

そんな濃密なじかんこそ私が本当に得たものだったと思っている。岡田さんに指摘された諸々、それをめぐって重ねたやりとり、という過程こそ。だから出来てきた詩集がその抜け殻のように見えたりもした。

本当に感謝に堪えない。と、またありふれた言葉になってしまうのだけど。

岡田さんは『冬に花を探し、夏に雪を探せ。』という個人誌を二〇一八年一月から隔月で発行していらして、最後になってしまったのが二〇一九年九月の十一号。そこに「今号をもって休刊させていただくことにしました。理由は筆者の体調によるものです。」という挨拶があった。えっ?! と思ったが、私はあまり深刻には考えていなかったと思う。Ａ４の裏表一枚のこの個人誌は、表に岡田さんの詩が一篇、裏に〈冬の花、夏の雪〉というタイトルで、良寛の漢詩を通して「〈僧〉としての良寛、〈詩人〉としての良寛について考えていきたい。」（一号より）という論考が掲載されていた。私は良寛については殆ど知らなかったので、論考はついていくのが精一杯だったが、詩はいつも心にしみいるようで、読むのが楽しみだった。中から一つ、私の好きな作品を掲げます。

偶作

東山に月が出た
それははじめて見る月のようであった
月の光は明らかであった
そのとき明らかにされたものはなにもなかったのだが

気を取り直して川岸のビヤホールに入ると
洞山和尚が生ビールを飲んでいた
なにか見透かされたような気がする
和尚と背中合わせの席を選んで生ビールを注文した

闇は深まるばかりだった
だが闇が深まるにつれて見えてくるものもないわけではなかった

闇が闇を殺すこともあるのだ
そのときすでに和尚はいなかった

外に出ると月の光はいよいよ冴えていた
橋の上から川の流れを眺めると
それは生きている龍のようであった

――二〇一九年七月三十一日発行・第十号より

「『脳天パラダイス』がライバルですよ」とおだててくれた人
——岡田幸文さんのことなど

平居　謙

岡田さんに会いたい。

岡田さんにお会いしたのは20世紀末のある日だった。最初に関わりがあったのは「ミッドナイト・プレス」の何号だったかに詩を載せていただいた時だったと思うが電話で言葉を交わしたかどうかもあやふやである。そのあと、僕が京都の世界思想社というところから『風呂で読む　現代詩入門』という本を出した時、その本を巡って、谷川俊太郎と正津勉と僕との鼎談を企画してくれたのが岡田さんだった。

東京の詩人たちとお出会いする機会も少ない僕にそんな機会を与えてくれたことや、谷川×正津という大先輩の中に入れてもらったこと自体とてもありがたかったが、それ以上に、岡田さんの温かい感じがとても嬉しかった。その鼎談は「１９９９年の現代詩入門」というタイトルでミッドナイト・プレスに掲載されたが、岡田さんが前面に出ることはなかった。

ゆっくりと飲んだのは、たぶん二〇〇〇年の忘年会だったのではなかっただろうか。根本明さんとか足立和夫さんとか、当時ミッドナイト・プレスが売り出そうとしていた『青い空の下で』という詩集をだしたばかりの元山舞さんだとかいろんな人が集まっていた。パーティは薄暗いバーで行われ、恐ろしく大きな料理が運ばれてくるのだった。料理人の顔が五つは乗るくらいの銀皿に、見るともやしの炒め物がぱんぱかぱんに盛られていた。僕は後にも先にも、もやしを一度にこんなに見た体験はない。また、それが絶妙においしかった。その忘年会の後で、岡田さんと山本さんと僕の三人で遅くまで飲んだのだった。今考えると、僕だけがゲストというわけでもないはずなのに、関西から来たというので、わざわざ付き合ってくださったのだったろう。そのお気持ちだけでも懐かしく思う。

その時岡田さんは飲みながら、「『脳天パラダイス』がライバルだと思っていますよ」とおだててくれた。『脳天パラダイス』というのは僕が一九九八年に彼方社から出した、二〇代・三〇代詩人によるアンソロジーで、細見和之・樋口えみこ・園子温・園田恵子・上田假奈代・奥野裕子・丸米すすむ（後のマルコムシャバスキー）など、その当時僕が全力で集めた錚々たる若手たちの大集合だった。僕は、新しい時代の詩人プロデューサー的でもあるかのように自負だけが強く、いきがってたのだろう。飛ぶ鳥を落とす勢いに思えた「ミッドナイト・プレス」の編集長からそんな言葉をいただいて、どれだけ僕が舞い上がったことだったろうか。それで僕は御礼に「岡田さんは、ほんとに胡散臭い感じがしますね」という最大級の賛辞を贈ったのだった。岡田さんはとても喜んでくださってる様子だった。

その後、『基督の店』をミッドナイト・プレスから出していただいたり、先述の鼎談をきっかけにして僕自身にも長年連載の機会（「ごきげんＰＯＥＭに出会いたい」という若手詩人へのインタビュー）をいただいたりと、さんざんお世話になった。

今回この特集にお声をかけていただいた中村剛彦さんにも、そのインタビューで出会っている。岡田さんの作ってくださったご縁に感謝するとともに、ミッドナイト・プレスの副編集長であった中村さんと一緒に、何かおもしろいアクションが起こせたら、岡田さんへせめてもの恩返しになるような、そんな気持ちに今、なってきている。いや、この文章を書かせていただいたことが既に大きなアクションだと感じられる。

あの後、残念ながら岡田さんとお酒を飲む機会はなかった。これだけはとても残念でならない。だからちゃんと声を届けるためにもう一度言っておきたい。

岡田幸文さんに会いたい。

真夜中《ミッドナイト》を駆け抜けろ――岡田幸文氏に

中村剛彦

一

言ノ葉の森の深淵の深部にたったひとつある
地下室へくだる階段の下で　あなたは待っていた
黒い革ジャケットに身を包み、大きな鞄を片手にぶら下げて
あなたはあつい扉の前でぼくを待っていた
そこは　ぼくら人間がけっして入ってはいけない「洞穴《ほらあな》」という酒場
まだ言葉になる前の
動物たちの笑いが立ち込める危地
猿が七面鳥と酒を酌み合い、虎がアヒルと抱き合い　鸚鵡が狐を愛撫する
青い小魚たちが　宙で踊っていた
あなたは皆と挨拶しながら一番奥のいつもの席にぼくを案内した
そして人差し指に赤い炎を灯して
真っ白な紙に何かを滴らせた

炎に照らされた壁にはマルローと、プレヴェールと、
瞳を失った天使のモノクロ写真の影
そして大きな薄荷の星が　天井に揺れていた
あなたはひたすら黙って赤い炎を紙の上に滴らせていた
ぼくはそれを見つめていた　夜が明けるまで

それから十五年　あなたはそうやっていつも「洞穴《ほらあな》」でぼくを待っていてくれた
ビールと　ウィスキーと　ピーナッツと　納豆スパゲティをテーブルに並べて
笑い合う動物たちとともに
僕らは黙っていた　黙ることが掟であるように
そしてぼくはいつも酔い潰れて
ソファに眠ってしまった
夢を見てしまった
風が吹くまで
（あなたのジャケットの内部に風が吹くまで）
深夜の　新宿の　池袋の　塔を巡り
どこまでも遠く　近く　旋回する風が吹くまで

どこにも帰る場所がない
あなたの言ノ葉の風が吹くまで

二

風が吹くと　あなたは眼鏡越しにいつも途中まで語ってくれたね
「詩とは　人間の　どうしても　耐えられない……」
「詩とは　すべての人間の　どうしても　救われない……」

そうだった
飛び立つことのない木菟の羽ばたきのように
あなたはいつも黒革のジャケットを翻し　翻し
二重にふるえる世界に溶け入ってしまうように
「洞穴《ほらあな》」から出て群衆のなかへ立ち去っていった
いまだ人差し指の炎は赤く燃え上がり
深夜の星を指差しながら「ジャストナウ」

握手を交わし
Jのいちご畑のメロディとともに（それはどこで聞いたか分からない懐かしい韻律で）
「洞穴《ほらあな》」の動物たちは夜明け前に家々に姿を消し
暁に燃え尽きた新宿の塔の先端から
舞い降りてくるひとかけらの風だけを
酔い醒めないぼくは見上げ
青い炎を小指に灯して
誰もいない
路上で眠った
——ほんとうにあなたは死んでしまったのですか？
「そうだよ　詩は　すべての　人間の　どうしても　耐えられない……うたえない……」

三

（How, How）
どうやって進めばいいかわからない場所にぼくはどうやって進むことができるのだろう

（How, How）
どうやっても行く道が見つからないぼくはどうやって道を曲がればいいのだろう

（Remenber）
若い頃に死んだぼくの肉体はいつも影に沈んでいるから
ママもパパもぼくを英雄のように願いつづけたのかもしれない
いま　思い出すのだ　若いころ
ぼくは孤絶された命であった
だから詩を書き　英雄となり　墜落して　水のように滴り
あなたと出会ったのだ

（How, How）

想像できるか
どこにもない　誰もいない国で　扉がいつまでも開いていて
ぼくの発する声の背後にあるはずの　もうひとつの声を
無のしじまを

響かせている者たちの姿を
想像できるか
どこにもない　誰のものでもない文字を石板に削り　削り
石の内部だけを掘り出す人を
（How……　How……）
想像できるか
いま　この世界に　「詩人はいないのだ」と！
………
眼鏡越しにあなたとまた「洞穴《ほらあな》」で会いたい
新宿の闇夜に、池袋の闇夜に
ふたたび森が広がり　ライオンが　虎が　鸚鵡が　鵞鳥が　七面鳥が笑い合う
酒場の片隅で
沈黙の会話を交わしたい
だからぼくは今日も降りていく
魂の地下室へ……
「孤絶」へ……

四

二〇一九年十二月九日午前二時五分
雪降るアンダルシアの街角で
村人すべてに愛された少年は
老犬のかたわらで
働き疲れて
死んだ

クリスマスの雪降るダブリンの街角で
両親に見捨てられた少年は
大好きな口笛だけを吹いて
死んだ

二〇一九年十二月二十九日午前〇時
世界中の森に雪は降りつもり

ダイナマイトの爆発音と戦車の車列の轟きのなかで
世界中の裸の少年が焼け出され
寺院の鐘が鳴り響く
なぜ、少年とは
あんな姿で死んでしまうのだ
なぜ、いつも少年とは
あんな姿で死んでしまうのだ

爆音の雪は降りつづいている
殲滅の雪は降りつづいている

（Re　mem　ber………… rrrrrr……）

五

二〇一九年が暮れれば酒場「洞穴《ほらあな》」は爆破されます
動物たちはいなくなります

笑い声は消えてしまいます
みんなどこにいくのでしょうか
今日、扉を開いたとき
あなたが座っていた席に　真っ黒な大鴉が座っていました
嘴にあなたと同じ紅の炎を灯して
○や△や□をテーブルの上に描いていました
だからぼくも同じように大鴉と向き合って
○や△や□をテーブルに描いて
そしていそいで席をたち
扉を背後に閉めました
（ぼくはここで爆死）
大鴉は叫んでいました
（Never more！ Never more！）
ぼくは驚いて振り向くと
大鴉は「洞穴《ほらあな》」の扉を開き
塔へ向かって
紅の炎の文字を滴らせて

剝き出しの　鳴き声を張り上げて
羽ばたいていく
Never more！ Never more！
すると全ての動物たちが「洞穴《ほらあな》」から彼の後を追いかけて羽ばたいていく
虎にも　猿にも　象にもカバにも　翼はついていないのに
青い魚たちはぼくの胸を突き抜けていく
永遠につづく爆音のなか
ぼくは真っ黒なあなたの影を　いいえあなたが孕む真っ黒な風を追いかけ
燃え上がる森を駆け抜け　駆け抜け
やがて新宿の塔の先端に立つ紅の灯火を見上げて
泣き笑うだけだ

そうか　あれが　世界が崩壊したあとに残る星
いや今日だけかがやける
あなたが灯しつづけた
真夜中の星《ミッドナイト・スター》。

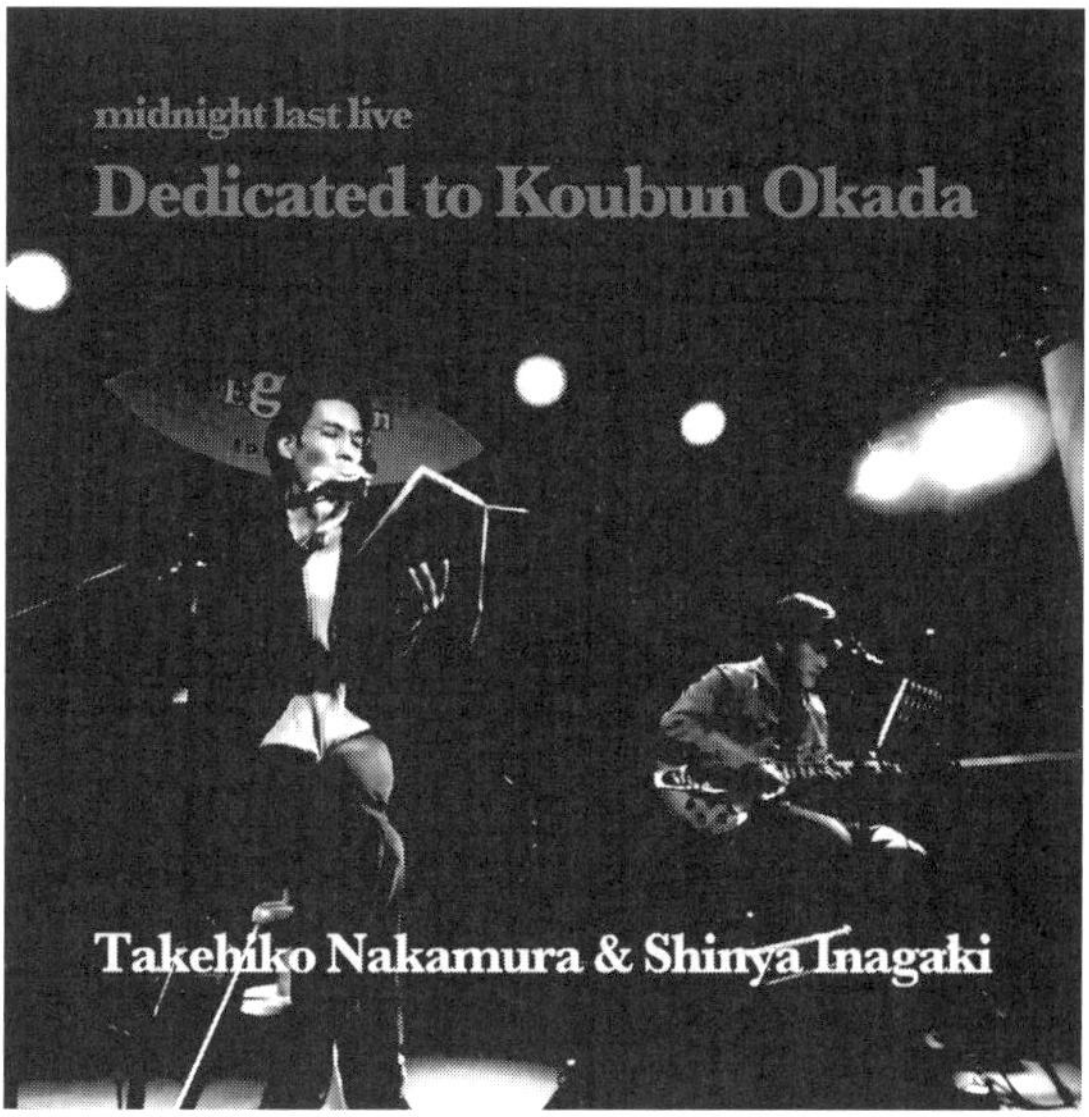

YouTubeにて、2019年12月29日に中村剛彦（朗読）と稲垣慎也（ギター）による岡田幸文追悼朗読ライブの動画をご覧になれます。
朗読詩：「螺旋系（作：小林レント）」、「真夜中《ミッドナイト》を駆け抜けろ（作：中村剛彦）」
YouTubeの検索欄に「中村剛彦」を入力すると一覧に「岡田幸文追悼朗読ライブ」が出てきます。
YouTubeリンク：https://youtube/08cIdEwWR_0

ほんとうの詩を追いもとめた人――岡田幸文さんの思い出

中村剛彦

いま、四十七歳となって、自分のこれまでの人生の中心が、心から尊敬していた数少ない人々との出逢いと別れによって貫かれていることを実感する。もう私の前半生は終わった。これからの後半生は、これまで私を導いてくれた人々が指し示してくれた道標に導かれていくだけだ。そしてその道標にはただ一つ、「詩」という文字が刻まれている。私は今後、先の見えない生の杣道を、その一文字を見定めながら歩んでゆく。悔いのない人生を送るために、これまで導いてくれた恩人を裏切らないために。

二〇一九年十二月九日午前二時五分、ミッドナイト・プレス主宰の岡田幸文さんが亡くなった。その日の午前中に、奥様の山本かずこさんから連絡があった。享年六九歳、急逝であった。

亡くなる一ヶ月ほど前、岡田さんは病名も分からないまま緊急入院した。いま思えば確かに、半年ほど前から体調があまり良くなさそうではあった。会う約束も度々延期となっていた。しかし電話ではいつもの岡田さんらしく、「ちょっと夏バテが長引いちゃって、ハハ」と元気そうな声だった。ただやたらに咳き込んでいるのが気にはなっていた。

入院したと聞いてすぐに駆けつけたとき、その衰弱ぶりに驚いた。岡田さんはもう限界を超えていた。一緒に面会にいった詩人のYさんとWさんと私は、それぞれ岡田さんと一言二言の言葉を交わした。岡田さんは一瞬だけ、涙を流していた。

あまり長居をせず病院を出た。そして雲ひとつない快晴の冬空を見上げ、唇を噛むように、「なぜ」という言葉が口から漏れた。いま、日本の現代詩の根底を支えつづけた、稀代の編集者が去ろうとしている……。私は立ち竦んで、しばらく青い空を見上げていた。

「詩の出版社ミッドナイト・プレス」。その名は、日本の現代詩の歴史のなかで、不動のものであることは、詩に携わる者なら誰もが認めるところであろう。その「不動」とは、つまり「岡田幸文の不動」である。

岡田さんの来歴は、文末略歴を参照されたいが、「詩学」編集長をやめ、「ミッドナイト・プレス」を立ち上げ、そして「詩の雑誌 midnight press」創刊へと至る道は、実に、八〇年代から九〇年代、そしてゼロ年代の現代詩における輝かしいエポックであった。「詩の雑誌 midnight press 創刊号」（一九九八年）には綺羅星のごとき詩人たちが集まった。いまは亡き詩人たちの名を挙げれば、大岡信、辻征夫、長田弘、吉本隆明、岩田弘、川崎洋……。そして雑誌の題字は、№21より岡田さんが終生尊敬してやまなかった谷川俊太郎の揮毫による。そして、数多くの名詩集、名随筆集を世に送り込んだ。

私が岡田さんにはじめて出会ったのは、「詩の雑誌 midnight press」創刊の四年後の二〇〇二年、同誌にエッセイを連載していた恩師の詩人井上輝夫先生と、私の最初の詩集を出す相談を新宿でしたときである。あのときまだ私は三十歳であった。だから岡田さんがミッドナイト・プレスを立ち上げ、新たな詩の雑誌を創刊した思いはリアルタイムでは知らない。しかし、のちに仕事を一緒にさせていただくうちにそれを知ることになる。それは、つねに裏方として日本の現代詩を見つづけてきた名編集者が、ほんとうの詩を追い求めるための「賭け」であった。

実は「詩の出版社ミッドナイト・プレス」を立ち上げる経緯には、当時の詩の出版界における深い闇があった。岡田さんはそのことを一切私には話さなかったが、同時代を生きた詩人の方々からいろいろな事情は聞いていた。しかし岡田さんは過去のことよりも、「いまを生きる」、それのみを貫いていた。何者にもおもねず、妥協をせず、「ほんとうの詩」を追い求めること、その一点に岡田さんは全身全霊を賭けていた。逆をいえば、偽物を徹底的に峻拒していた。いつも穏やかで、類稀なやさしさを湛えていながらも、「ほんとうの詩」を見極める厳しい視線が、その黒縁の眼鏡の奥から私をいつも射抜いていた。

しかし、その厳しい視線から、ある瞬間に突如として大粒の涙が溢れることがあった。私は驚き、そして感動した。ひとりの男が、ある瞬間にどっと目の前で涙を流す、そのようなことを私は他に経験したことがない。今でも私は岡田さんの涙を思い出し、息が詰まる。それはまるで「弱さ」をそのままに生きること、それが「詩」を生きることなのだと伝えてくれていた。私は二度と出会えないそのような人と一緒に仕事ができることに感動したのだ。

一つ印象に残っていることがある。今から五年前、二〇一五年の年の暮れに、横浜のとある老舗店で若い詩人やミュージシャンたちとミッドナイト・プレス主催の朗読ライブイベントをした。若者たちは大いに詩を語った。そしてそのイベントの最後、締めの言葉を述べに岡田さんが登壇したとき、岡田さんはジョン・レノンの「ハッピー・クリスマス」を流し、突然若者たちの前で号泣し、「日本は貧しかった」と咽せた。

いったいその言葉と涙が含意していたものは何だったのか、そのときははっきりと分からなかった。単に、戦後復興を成し遂げ、豊かになった二十一世紀の日本で、若者たちと「詩」を共有できることの喜びの涙だったか。いや違う。それは浅薄である。岡田さんが流す涙は、喜びとも悲しみとも違う、何かより奥深い場所から溢れてくるようにいつも思えた。そのときもそうである。その場所はどこなのだろうか。

一つ、岡田さんの詩を引用する。

あなたと肩をならべて
——ジョンの思い出

生きる

ってことはつまらないことだ
だけど
城北予備校に通っていた一九七〇年二浪の秋
予備校のそばの自衛隊市ヶ谷駐屯地で
腹を切った三島由紀夫のような度胸をもっていないので
僕は死ぬことができない
というよりも
僕は死にたくない
だから
僕は生きている
それだけだが
そうして生きていると
歌がきこえてくる
昼も夜もない国の歌だ
この地上のどこにもない国で歌っている
あなたの歌う声だ
あなたが生きている

それだけで
僕は生きていくことができる
僕は生きる　生き抜くだろう
あなたが歌っている国にたどり着くまで——
たどり着くのがいつになるのか
それは〈神のみぞ知る！〉（笑）だけれど
たどり着いたら
人生に一度
あなたと肩をならべて
僕らの時代
一九六〇年代のロックンロールを僕らの歌い方で歌いとばそう
あなたと肩をならべて
僕は歌い
そして
生き抜くだろう

『あなたと肩をならべて』（いちご舎、一九八一年十二月八日）

この詩には、岡田さんが生涯保ちつづけたジョン・レノンへの敬愛の念と、岡田さんのなかの〈詩〉が如実に述べられている。岡田さんが思春期から青春期を生きた「一九六〇年代」とは、まさにビートルズ旋風が吹き荒れた時代であり、また世界を覆った若者たちによる「革命」の時代であった。きっとそのとき、岡田さんのなかで、〈詩〉が生まれた。それは教養としての詩でもなく、自己顕示のための詩でもなく、ただひとつ、純心から湧き出る〈詩〉である。そして岡田さんの涙は、ここから溢れていた。

思い出す。よく編集会議で、今度のWeb版「詩の雑誌 midnight press WEB」への寄稿を誰に依頼しようか、今度のイベントを誰に頼もうか、という話になったとき、私が幾人かの、よく名の知れた詩人を挙げると、岡田さんはしばらく考えて、この人に頼もう、と思いもよらない詩人を挙げることが屢々あった。岡田さんは有名無名を問わず、つねに純粋に「いま」を生きている詩人を探していた。私はそうした岡田さんが呼んだ詩人たちと出会う度に感銘を受け、そしていつも自分の「ほんとうの詩」を見極める力量のなさを痛感していた（そう、十年前の夏、「えこし会」とのイベントmidnight poetry lounge vol.3「今、吉行理恵の 詩の魅力――記憶されるべき女性詩人――左川ちか、長澤延子、山本陽子などを交えて」の開催も、岡田さんが呼び込んだのであった。未熟だった私にとって忘れられない〈詩〉の体験であった）。

さらに、岡田さんの編集者としての仕事ぶりは瞠目すべきものであった。その正確さ、速さ、細やかさ、奥深さ、忍耐強さ、そして詩への飽くなき情熱、すべて私にとっては超一流であった。岡田幸文編集で詩集を出された詩人たちは皆、そのことを知っていると思う。私は何度となく岡田さんの仕事のクオリティの高さに付いてゆけず、泣き言を言ったものである。するといつも「たけちゃんのお陰だよ」などと言うのである。

私は思う。岡田さんの〈詩〉は、大人になってからではもうけっして取り戻せない〈アドレッセンス〉から止めどなく溢れていたのだ。だからその突然に溢れ出す涙は、岡田さん個人の涙ではなく、この世界に生きるすべての純心の詩人たちが流す涙であった。だからイベントの最後で、「日本は貧しかった」と号泣した岡田さんの目は、この歪な形で豊かになってしまった現代日本で、今ももがき苦しみながら生きる若き詩人たちの目をそのままに映していた。「いまも、日本は貧しいのだ」とその眼鏡の奥で濡れた目は語っていた。

思い出すとさまざまなことが巡ってきてしまう。もう一つ、岡田さんの詩を引用して終えたい。これは私が編集部を離れた後、亡くなる直前まで発行していた個人誌「冬に花を探し、夏に雪を探せ。」の創刊号（二〇一八年一月三十日）に掲載された岡田さんの詩である。

沈もうとしているのだろうか
浮きあがろうとしているのだろうか
いまどこにいるのかわからぬままに
動いているものがある

産み落とされたとき
もうひとつ落とされていくものを見た渠《かれ》は
しかし落とされた時刻と場所とを覚えていない

記憶を取り戻すことができたら
それがほんとうのはじまりとなるであろう
聴きたかったメロディーは聞こえてこなくとも

十月の新宿　早朝の路上では宇宙塵が舞っている
あのときと同じように
けれども　あのときがいつであったのか
渠は思い出せない

＊John Lennon

このときすでに、岡田さんは何かを予感していたのかもしれない。かつてジョンの歌が聞こえるから「僕は生きていける」と記したその「メロディー」を、もはや思い出せなくなったそのとき、岡田さんは生を、〈詩〉を閉じようと準備をはじめていたのかもしれない。

しかしそれは、確実に次の世代へと〈詩〉は受け継がれたという確信でもあったと思う。つねに誇り高く、厳しく、そしてやさしく「ほんとうの詩」を求めつづけた詩人・編集者「岡田幸文」が示した道を、これから私は辿ってゆこうと思う。

岡田さん、本当に、ありがとうございました。

＊「えこし通信　25号」より転載。

二

岡田幸文詩集『そして君と歩いていく』を読む

芹沢俊介

1

岡田幸文は一九五〇年七月二九日生まれ、二〇一九年一二月九日に亡くなった。岡田は亡くなる二年ほど前から個人詩誌「冬に花を探し、夏に雪を探せ。」を隔月で発行し始めていた。この誌名をみて、ぼんやりとだが因果を逆にせよ、因果を離れよ、と言われた気がして、ここに、狂を感じた。

各号で、良寛の詩が本格的に論じられることに強い必然があると思った。また各号に、一篇ずつ、詩が掲載されていた。どの詩も、誌名に感じた狂をモチーフにしていた。詩とは狂であった。

もう一つ、いま思えば、狂は岡田にとって、生死と結びついて生まれたものであった。詩は、内に忍び寄る死との生真面目な戯れであった。それが独特な狂を形成していた。このことは作品において、容易に確かめることができると思った。

晩年の作品、ということは「冬に花を探し、夏に雪を探せ。」に発表された十一篇のうちには、境界をテーマにしたものがいくつもある。具体的には、夢や川や追憶がうたわれているのだが、これらはまさしくいま述べた意味での狂が生まれやすい場所であった。岡田幸文の詩意識は、意図的にか意図なくしてか、そのような生と死が溶けあう地点へと引き込まれてゆくのだった。

2

十一篇の中で、川をモチーフとした作品が際立って目につく。「川の思い出」「偶作」「川に沿うて」「土堤の論理」「蟬の、別れの」と五つである。川は岡田の存在が導かれていく最終の場所がどこであるかを象徴していたのである。

「川の思い出」は、追憶の中の既視感が語られている。詩は夢の中の出来事のように進んでいく。私は今、川を前にしているのだが、その川がどこであるかを特定できない。そのうち、知らない川なのに見たことのあるなつかしい水量の川だと思えてくる。ところが、それで終わりではなく、この既視感は新しい状況を次々と呼び寄せるのだ。「気がつくと私は何人かの見知らぬ客たちと一緒に川下りの舟に乗っていた」。川を目の前にしていた自分が、水の上にいるのだ。水の上にいた自分は今度は、川の水そのものになっていたのだった。「いつしか私は川とひとつになっていた」。

どこの川かもわからぬ川を前にしている私。既視感に捉えられた私、見知らぬ客たちと川下りの舟に乗る私、川とひとつになった私、というふうに私は変転し、多重化するのである。狂という方法がもたらす技巧なのだと思う。

気になるのは、このような川下りのシチュエーションを用意したのは誰なのか、という点である。気づかれぬくらいにそっと私へと忍び寄る死の影——のはたらきをそこに想定したくなるのである。

「蝉の、別れの」も、語り体であると思う。作品は頭の中と泉川の間を瞬時に移動する蝉がモチーフである。蝉とは自己のいのちの象徴である。そのいのちの象徴としての蝉と泉川がここではセットになっている。泉川は京都の川である。京都生まれの岡田の追憶の場所の一つであり、岡田が生きられる場として詩人に追憶されたのではなかったか。

気がついたら蝉が啼いている。蝉が啼いているのは泉川のほとりではない、いまここにいる自分の頭のなかで啼いていたのだと私は語るのである。「いる」「いた」のこの時制の扱い方が不思議だ。詩の中で私は、蝉が蝉でなくなるとき——すなわち死ぬとき、蝉は啼きやむにちがいないと信じており、そのことに私はおびえている。ふっと蝉が啼きやんだ。このときだった。一つの了解が私に舞い降りてきたのだ。蝉はいなくなったのでも、啼きやんだのでもなく、つまり、死んで木から落ちたのではなく、すでに泉川のほとりに移って、そこで啼いていたのである。

狂の作品だが、見事な技巧の背後に、死への無意識のおびえがくっきりと浮かび上がっているのが感じられる。タイトルの中に「別れの」という言葉を取り込んだのは、このような私のおびえとむすびついているように思えてくる。

ところで、泉川という川の名で、連想したのは「いさや川」であった。ただし、これはたんなる連想にすぎず、岡田の詩とは、まったく関係はない。

犬上のとこの山なる不知也《いさや》川いさとこたへよわが名もらすな

3

「土堤の論理」は、亡くなる直前に書かれたものである（二〇一九年九月）。ここに岡田が到達した、あるいは切り拓いた、未踏の狂のかたちを見ることができる。晩年に書かれた他の作品と同様、詩は、生の中で死を見ていた。否、死の中で生を見ていた。この作品はそれにとどまらなかった。死の不可避性の中でもう一度生のありかを探そうとしていた。ここに技巧の影はうすらいでいた。十四行全部を引いてそのことを確かめてみたい。

いきなりこのわびしい土堤の道が目の前に現われた理由を誰に尋ねればいいのだろう
もはや引き返すことはできない
とにかく河口に向かってみよう
歩きはじめると　彼方には何本かの煙突とコンビナートの建物と思しきものが揺曳していた

なにも考えない
それが歩行の原理であり　土堤の論理であった
土堤を行くものはほかに誰もいない
鳥でも飛んでいればいいのに

どのくらい歩いただろう
やがて河口らしきものが見えてきた
それはしかし地上と空との境界を目くらますかのように乱反射する光にさえぎられてかたちをなしていなかった

その光に吸い込まれていくように歩いていくそのとき
これは前に一度歩いた土堤であるということに気がついた
たしか一九六九年の冬であった

（「土堤の論理」全）

何度か読み返しているうちに、いくつかの特徴を列挙できそうに思えてくる。まず、他の何篇かの詩と同様、作品は夢の場面が応用されている。何の脈略もなくいきなり土堤の道が私――詩の主人公――の前に現れるのである。私は、もはや引き返すことはできないと思い、とにかく河口に向かってみようと思う。河口は川の源流ではなく、川の行きつくところ、そこは海である。次に、土堤の道を歩くのは、私一人であるということ。同行者が誰もいないのである。

私は、いつどこから歩き始め、どこへ向かうのかわからないまま、土堤の道を河口へと向かうのである。

もう一つは、土堤の道は川に沿っており、歩く私に川の表情はいつも見えているのだが、それがいっさい描かれない。川を扱った他の作品と違うところだ。すぐに彼方には何本かの煙突とコンビナートの建物と思しきものが揺曳しているのを私は見る。それはしかし、煙突とか建物と「思しきもの」なのである。五感のはたらきが、極度に衰弱している。それと関連しているのだろう、空間感覚、時間感覚も曖昧だ。いまどのあたりを、どのくらいの速度でどのくらいの時間、どのくらいの距離を歩いたのかも曖昧だ。色彩も無ければ、物も人も空無。「鳥でも飛んでいればいいのに」。世界の輪郭がぼやけている。既視感が現れる準備がこうして整っていく。

「やがて河口らしきものが見えてきた」。ここにも「らしきもの」という表現が用いられている。河口が河口のかたちをなしていないのだ。かたちをなさない理由を詩はこう述べる。

「地上と空との境界を目くらますかのように乱反射する光」。歩く人私は、「その光に吸い込まれていくように歩いてい」たのだ。

そして歩いていたとき、そのとき、光の中で突然に強烈な既視感に見舞われるのである。いま歩いている土堤が、「前に一度歩いた土堤であるということに気がついた／たしか一九六九年の冬であった」。

私はこの土堤の道を一九六九年の冬に歩いたことがあったというのだ。これは既視感というよりも記憶の取り戻しのようにも思える。それほどの生々しさをこの一言に感じたのだった。

4

「土堤の論理」より四カ月前の作品に「川に沿うて」(二〇一九年五月)がある。「土堤の論理」とほぼ同じ内容の詩であると思った。そこで、二つの作品を比較してみようと思う。比較から何が見えてくるであろうか。

たとえば「川に沿うて」には、「土堤の論理」の冒頭とそっくりな個所がある。

川に沿うようにして、道を歩きはじめる。それは二度と戻れない道を行くことでもあった。すると蠢くものたちがいる。浄化されていない音や映像が川面を流れていく。そのとき、許されるものがある。価値はなにによってはかられたのだろうか。

「土堤の論理」の書き出しと並べてみる。「いきなりこのわびしい土堤の道が目の前に現われた理由を誰に尋ねればいいのだろう/もはや引き返すことはできない/とにかく河口に向かってみよう/歩きはじめると　彼方には何本かの煙突とコンビナートの建物と思しきものが揺曳していた」

「川に沿うて」の言葉の運びには、「土堤の論理」にある、何ものかからの、不可避の強いうながしのようなものを、感じることができない。「川に沿うて」の言葉は、詩人の手の内にあるからだ。そのせいであろう、実際には見えていないものを見えているかのように記述する。言葉は観念的でかつ宗教的に流れているように思えるのだ。

また「川に沿うて」の次のような個所。

川の起源をたずねることは可能だろうか。いや、ここではそれを問うことは禁じられていた。断念ゆえにか。あるいは悔恨ゆえにか。

道を行くものはすでにひとではない。川を流れるものはすでにものではない。

この部分は、「土堤の論理」の「なにも考えない／それが歩行の原理であり　土堤の論理であった／土堤を行くものはほかに誰もいない／鳥でも飛んでいればいいのに」に対応させることができる。要するに、誰もいない、鳥の姿も見えない、殺風景な道を黙々と一人歩く私が見えている。読み較べてみると、ここでもやはり、「川に沿うて」の方がずっと、観念的説明的である。詩人の判断が言葉を支配していることとそれは無関係ではないだろう。

「川に沿うて」の終わりの部分はこうである。

名づけられないものたちがさまよっている。さまよいながら、散乱していく。赫く光り輝くものに
　摂取されていくかのようにして。

「土堤の論理」では、内容は同じでも、一直線に「その光に吸い込まれていくように歩いていくそのとき」とうたわれている。ここには迷いがない。

「川に沿うて」では、周囲には自分と同様のものたちがさまよっている。私はそういう人たちと一緒に「赫く光り輝くものに摂取されていくかのようにして」さまよいながら、散乱していくのだ。摂取されていくのだろうか、散乱してしまうのだろうか。未だ、明らかでない、迷いの中にいるのである。

　ここに二つの作品を分けている決定的な違いの一つがある。「土堤の論理」の私には、死は間もなく確実に訪れる事実として、受容されている。「川に沿うて」では、詩人の無意識は死からの発信を未だ信じられないでいる。

　もう一つ、二つの作品の決定的な相違点がある。「川に沿うて」がここまでで作品を終えたのに対し、「土堤の論理」はどん詰まりまできている自分を承知していながら、ここまでで詩を終わらせなかったことだ。

「これは前に一度歩いた土堤であるということに気がついた／たしか一九六九年の冬であった」

「土堤の論理」はこの二行を記したのである。

その先は書かれていない。その意味で、詩はここで終わったのだ。けれども、読む者の側に完結感はやってこない。詩に生々しさが現れたと思ったら、もうその先を読めないのである。この終わり方の中途半端さが気になる。

じっと見つめているうちにわかったことがあった。たった一つ、光に吸い込まれる直前、唐突に私が振り返ったということだ。光はいまや振り返った私の背後にあるのだ。既視感を介して、私を振り返らせた力は何か、それはまだ言葉にできない。しかし、こう考えたくなる。「その光に吸い込まれていくように歩いて」いった私と、振り返ったためにその光に背中を向けた私とがいる、というように。

その光に背中を向けた私の目路の彼方に見えたものがあった。「あの人」である。

5

「一九六九年の冬」については、知るところは皆無だ。なので、あとは駆け足で記そう。「恋人よ　僕はビートルズのことなど書きたくなかった」（処女詩集『あなたと肩をならべて』所収）のなかに、次のような個所がある。

「一九六九年一月十八日／テレビの前で／僕は高校三年生だった」
「一九六九年八月／ウッドストックでロック・フェスティヴァルが開かれたとき／君は何処を歩いていたのか」。

ここから、大事なことが一つわかった。それは、「一九六九年の冬」は、一九五〇年七月二十九日生まれの岡田幸文が、二十歳になって最初に迎えた冬であったことだ。

この先は、不確かな推測になる。大学受験に失敗した岡田は、ジョン・レノンの音楽に出会い、このとき自分の身と魂の置き所なさに本格的に共振してくれるレノンの曲「Nowhere Man」（一九六五年）に出会ったのだ。

やがて「あなたが生きている／それだけで／僕は生きていくことができる」とまで心酔し、「人生に一度／あなたと肩をならべて／…／あなたと肩をならべて／僕は歌い／そして／生き抜くだろう」（「あなたと肩をならべて――ジョンの思い出」）というふうにレノンへの憧れと絶対的な信頼を語るほどになった岡田の、その生への転機を告げるのが「一九六九年の冬」ではなかったか。そこには孤独ではない岡田がいた。そして、それが傑作「無題のアリア――〈creatio ex nihilo〉のための」を呼び寄せたのではないか。死は、「あの人」が帰ってくる時でもあった。

鳥が飛んでいる　花が咲いている
その鳥の名も　その花の名も　知らぬまま　私は今日まで生きてきた
でもあの人が帰ってきたら鳥の名でも花の名でもなんでも知ることができるでしょう
あの人は私になんでも教えてくれるから

だれ！　その陰に隠れているのは？
「知らなくてはいけないことはほかにある」
そうささやくのはだれ？

いいえ　私が知らなくてはいけないのは
あの空を高く飛ぶ鳥の名です
この足元に咲く小さな花の名です

ほら　あの人が帰ってくる
あの人は私になんでも教えてくれるでしょう
鳥の名や花の名を
そして私がもうひとりではないことを

（「無題のアリア――〈creatio ex nihilo〉のための」全）

ここに方法としての狂はもはやない。狂を歩いた果ての肯定があるだけだ。

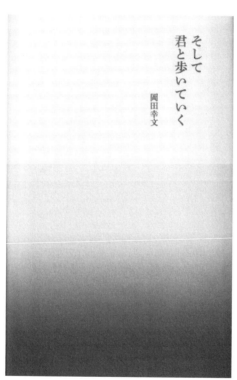

『そして君と歩いていく』

岡田幸文第三詩集　2020年7月29日 ミッドナイト・プレス刊

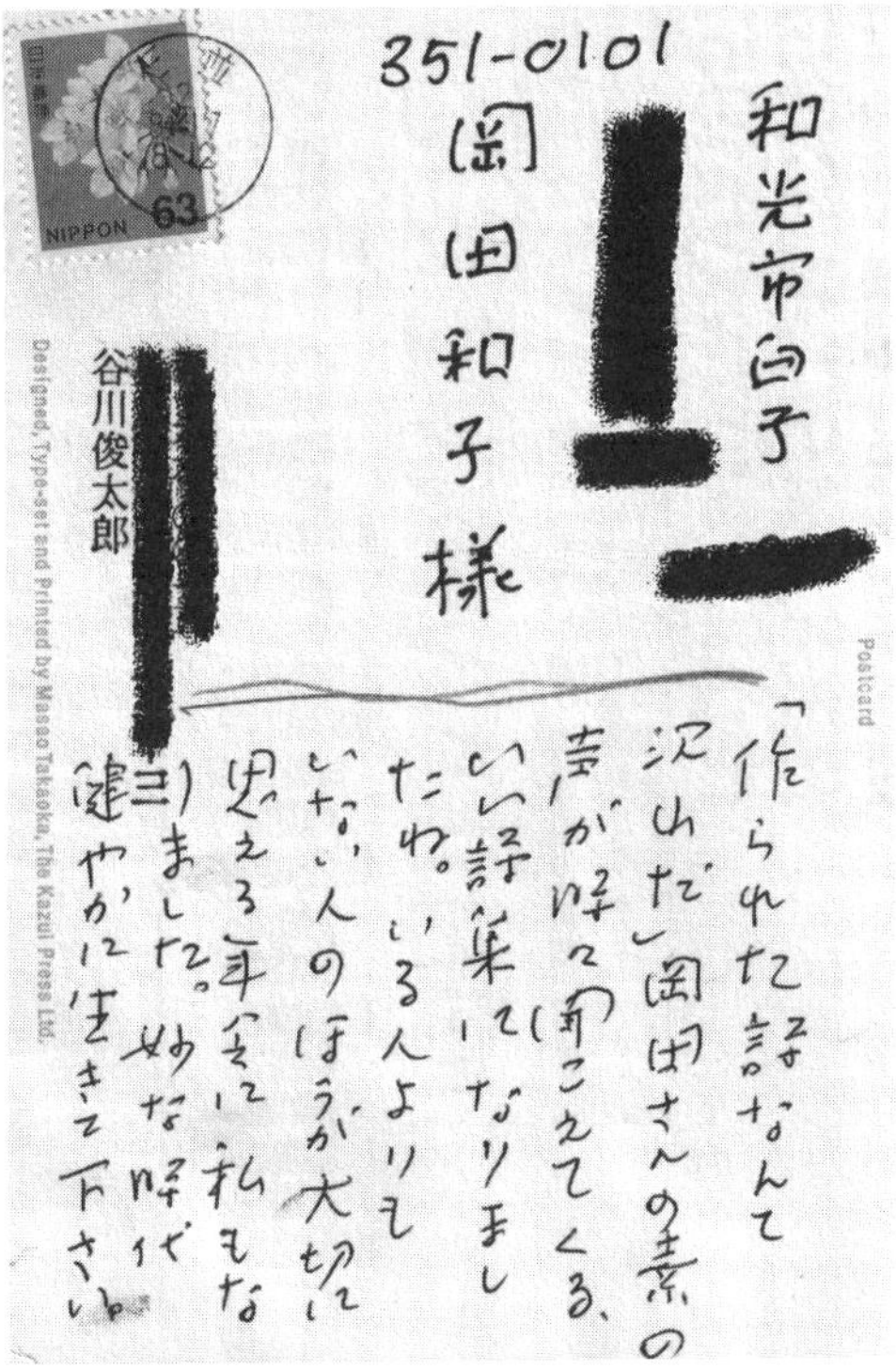

351-0101
和光市白子[redacted]
岡田和子様

谷川俊太郎
[redacted]

Postcard

NIPPON 63

「作られた詩なんて沢山だ」岡田さんの素の声が呼って聞こえてくる、いい詩集になりましたね。いる人よりもいない人のほうが大切に思える年令に私もなりました。妙な時代健やかに生きて下さい。

Designed, Type-set and Printed by Masao Takaoka, The Kazui Press Ltd.

僕らは歩いた　岡田幸文を思う

水島英己

二〇一九年の八月十日、池袋の東京芸術劇場5階ミーティングルーム5では、八木幹夫さんの山羊塾――これはミッドナイト・プレス主催という形で開かれているもので、この日はその第十五回目で、「石川啄木と若山牧水「現代詩に受け継がれるべきその近代性と流浪」」という題目の講義が行われた。八木さんの情熱的な講義と、それを支える岡田さんの司会ぶりもほどよく調和し、新潟などの遠方からの参加者もふくめ、皆真剣に傾聴し、質疑応答も充実したもので、もっと早くから参加すべきだったと後悔した。ぼくは、これを含め次の会の二回しか参加しなかったのだが。山羊塾は岡田さんの体調のこともあり、次の第十六回で休講という形で終わることになった。十一月九日の山羊塾には岡田さんは姿を見せなかった。それほど弱っていたのだ。その休講を知らせる九月のメール。

ところで、今日はひとつお伝えしなくてはならないことがあります。

八木幹夫さんのご厚意でこれまで続けてきた「山羊塾」ですが、この十六回をもって休講させていただくことになりました。理由は岡田の体調不良によるものです。この夏、暑さのためか体調をくずして以降、横になることが多くなりました。これは疲労の蓄積によるものかと思われます。この現在の僕の状況を踏まえ、山羊塾を続けることはむずかしいと八木さんにお伝えしたところ、ありがたくも八木さんのご理解を賜り、休講の件をご了承くださいました。八木さんにはこれまでたいへんお世話になってきましたので、ここで休講するというのはまことに心苦しいのですが、ここはしばらく静養に努めることとしました。

聴講者の方々にもこれまでたいへんお世話になりましたこと心より御礼申し上げます。再開のめどが立ちましたときはあらためてご連絡いたします。

今回の休講の件、ご了承いただければたいへんありがたく存じます。

今後ともどうぞよろしくお願いいたします。

みなさまのご健康をお祈り申し上げます。

岡田さんはこういう人だったんだな、と改めて彼の律義さや真直ぐなところを書き写していて感じる。なぜ、こういう話から始めたかというと、岡田さんと最後に飲んだのが、この啄木と牧水の話の後の飲み会だったからだ。最後に会ったのはと書こうとして、いやそれは彼が入院していた病院だったと思い返した。

最後に会った日について書くと、確か十一月二三日で、和光市の病院まで、駅からバスに乗ったものの、なぜか途中で降りて、道に迷い、雨の中を濡れてやっとたどり着いた記憶がある。彼は相当弱っていたけど、ぼくが先日送った詩集のことを、こんな時も忘れないでいたのか、「詩集ありがとう」とはっきり言った。横臥したままで、目も開けてはいなかったが、その声を聞いて、少しホッとしたのだ。最後に飲んだ話にもどるが、八月十日の山羊塾のあと、八木さんを囲んでの大半の受講者との一次会が終わり、二次会に行こうという時のことだった。この日の最初からぼくは感じていたのだが、岡田さんの様子がそれまでに会ったときの様子とは全然違うのだ。万葉に「朝影にわが身はなりぬ玉かぎるほのかに見えて去にし子ゆゑに」や「朝影にわが身はなりぬ韓衣《からころも》裾の合はずて久しくなれば」などの歌がある。恋の思いのゆえに、朝の影法師のようにゆらめき、痩せて、実体のないものになったという嘆きの歌だ。この日の岡田さんは、蒼白で痩身、白い服を着ていたせいか、透き通るような、風がそこを通過して、それとともに揺らめくような感じがして、歩きながら、思わず「風にもなびきそうだけど、大丈夫…」と言ってしまった。ちょっと、調子が悪くて、というような答えだったのか、もう忘れたけど、尋常ではないと、そのとき思った。しかし、二次会の蕎麦屋の二階での飲み会は、親密、率直さからいって二度と経験できないような素晴らしいもので心に深く残った。僕らのために歌ってくれた、あの中年男性たちの数々の合唱（たまたま居合わせた大学グリークラブの元部員たちの集まりという）の声のなつかしい響きも耳に残っている。岡田さんの好きなビートルズの曲も歌ってくれたのだったか。

とにかく、ぼくは一方的に岡田さんからよくしてもらった覚えだけがあり、彼にその何分の一でも返したということがないのを残念に思う。思えば、岡田さんはそういう人だった。見返りを求めず、とにかく人のこと、友人のことを気にかけた人だ。ぼくが知っていて、ぼくと余り年代の違わない人を挙げれば、平井弘之がいる。平井さんは二〇一四年に亡くなったが、残された膨大な詩篇を平井の案を基に編集し、『浮間が原の桜草と曖昧な四』として二年後に出版できたのも岡田さんの尽力によるものだ。気難しかった鬼才、倉田良成は昨年死んだが、倉田を支え続けたのも岡田さんだった。倉田の『海に沿う街』はミッドナイト・プレスから一九九八年に出版された詩集だが、今それを開くと次のような一節が眼に留まった。

きらめく葉に満ちた五月の木のしたを歩くのが好き
人生を終えるならこの季節に死にたい
かぎりなく青い空のもとにただひとつ置かれたベッドのうえで
かすかに流れてくる「Let it be」へ別れを告げながら
（「マイ・フェイバリット・シングス」より）

倉田は病院の狭いベッドの上で亡くなっただろうが、彼はそれを青い空のもとに持ち出すだけの想像力は、死ぬ間際もあったにちがいない、あったはずだとぼくは確信する。

ぼく個人のことで一つ言うなら、アメリカの詩人ロバート・フロストのことを話す機会を設けてもらったことだ。そのために岡田さんはいろいろ自分で勉強して、みんなの前でぼくに質問をしたりした。上手く答えられたかどうか分からないが、そういう人だったのだ。講師を失望させないために、彼は黙っていても、何をしたらいいか、考えてくれる人だった。フロストの「春の水たまり」(川本皓嗣訳)の一連。

これらのたまり水は、森の中にありながら、
空全体をほぼ隈なく映し出し、
水べりに咲いた花々と同様に、寒さに震え、
水べりに咲いた花々と同様、すぐ居なくなってしまう——
といっても、小川や川づたいに外に向かうのではなく、
木の根から這い上り、暗い木の葉の繁みをもたらすのだ。

岡田さんは「春の水たまり」として、どれだけの樹木を、その内部から助けたことだろうか。しかし、岡田さん自身が鬱勃たる樹木ではなかったか。

岡田さんの詩集『そして君と歩いていく』は彼の死後に山本かずこさんが編集して出したものだ。この詩集が第三詩集となるということ。『あなたと肩をならべて』『アフター ダンス』をまとめて以来、約三十年の月日が流れています。この間、詩のそばで生きながらも、詩を書くことはありません

でした」と山本さんの「あとがきにかえて」にある。読んで驚いた。三十年も詩を書かずに「春の水たまり」の役割に徹して来たのだ。それが「詩を書きたくなった」から個人誌「冬に花を探し、夏に雪を探せ。」を出すということで、11号まで続いた（そこで体調のために休刊するという断り書きがある）のだ。二〇一八年の一月に第一号が出されている。彼が傾倒していた良寛の詩の注釈という形をとりながらの良寛論と自作詩一篇を載せた、なんというのか上質のA4の厚紙の両面を使った個人誌だった。その最終号となった11号は二〇一九年九月三〇日発行の日付がある。そこで言及されているふしぎな良寛詩がある。それと「土堤の論理」という詩人最後の、これもまたふしぎな詩がある。その詩を引用する。（個人誌の詩の全ては、新詩集に所収されている）

いきなりこのわびしい土堤の道が目の前に現われた理由を誰に尋ねればいいのだろう
もはや引き返すことはできない
とにかく河口に向かってみよう
歩きはじめると　彼方には何本かの煙突とコンビナートの建物と思しきものが揺曳していた

なにも考えない
それが歩行の原理であり　土堤の論理であった
土堤を行くものはほかに誰もいない

鳥でも飛んでいればいいのに

どのくらい歩いただろう
やがて河口らしきものが見えてきた
それはしかし地上と空との境界を目くらますかのように乱反射する光にさえぎられてかたちをなしていなかった

その光に吸い込まれていくように歩いていくそのとき
これは前に一度歩いた土堤であるということに気がついた
たしか一九六九年の冬であった

これは余りにも寂しい蕭条とした風景ではないだろうか。風景というより「土堤」の道が続くばかりであり、期待された河口の広がりは乱反射する光で天地の境界が乱され形状を保つことができない。光に吸い込まれ歩いていくとき、この土堤は前に歩いたことのある土堤であることに気づき、それは一九六九年の冬のことだったというのだ。「歩行の原理」、「土堤の論理」とは何か。「なにも考えない」ということが、どうして原理であり、論理になるのか。「一九六九年の冬」の再現は、東大闘争や入試中止などの事件と関連があるのか。あるいは同時に掲載された良寛詩の謎を解くためのポイントとして岡田さんが引く道元の「回光返照の退歩」（何がなんでも、言語《ことば》のせんさくから理解しようとするのをおやめなさい。何がなんでも、外に向かって物を逐う心のはたらきの方向《むき》をかえて、自己の正体を照らし出す坐禅修行をすべきです、というような意味）という一句のアレゴリーのような詩か。この詩と良寛のことを、今度は彼を講師にしていろいろ尋ねてみたいと思っても、彼はこの地上にはいない。

詩集をもらったとき、感想として書いた断片をここに載せて、追悼の拙文を閉じよう。

岡田幸文『そして君と歩いていく』（ミッドナイト・プレス）彼が亡くなって半年余りが過ぎた。奇跡のように届いた詩集。「夕方になったら／僕の好きなワインを持って／和子がガレージにやってくる」。和子さんは、この一冊の詩集を僕らのために持ってやってきたのだ。まぎれもない一つの詩、一つの音が匂い立つ。幸文自家製のワイン。

僕らは歩いた
肩をならべて
久し振りに
一本の真直ぐな道を

こんなに近くに
こんなに遠いところがあった
とは

（「僕らは歩いた」より）

「岡田幸文は死んではいない」　中村文昭

舞踏家土方巽がかつて私にこう言った。「いつの日か中村氏、ほんものの詩人を紹介するよ。」ほんものの詩人の一人が、私が敬してやまない詩作品「囚人」や詩集『夏の淵』を書いた三好豊一郎だった。若き日から三好豊一郎の詩に感銘を受けてきた自分としては心動くものがあった。一九八六年一月二十一日、土方巽は突然死去した。土方巽との出会いと精神的な葛藤の日日については評論集『舞踏の水際』で詳しく書いたとおりである。詩に行き詰まっていた袋小路で私は土方巽と出会い大いなる啓示を受け新しい脱出口を求めていた。彼の突然の死により私の精神は錯乱してしまった。

その錯乱ぶりは詩集『物質まであと何歩？・』（一九八七年十月八日刊）にあらわれている。タイトルの「物質まであと何歩？・」は、俳句の巨人永田耕衣の「物質にまで成長せよ雪の人」の一語「物質」と深くかかわるものである。この詩集での錯乱ぶりを一言で言えば、破格の語と語、破格の語句と語句、破格の文と文の錯乱の花火ということだろう。何はともあれ、この詩集には私の死と再生の問題がかかわっていたと想う。この詩集を完成し、さて、どの出版社どの人に委託すべきかと想った瞬間、私の脳裏にひらめいた人物はただ一人、詩学社の岡田幸文さんだった。岡田さんはしずかな口調で引き受けましょうと言ってくれた。そしてわがままな物書きの悪癖であろうか、完成稿にもかかわらず再三再四書き直しの文章を岡田さんは淡淡と引き受けてくれた。エピソードめいて言えば、最後は岡田さんと一緒に活版印刷の現場に行き、生一本の職人さんに再三再四語句の直しをお願いしたことだろう。職人さんもさすがにムッとした。しかしこちらも命がけだ。一貫して岡田さんはしずかにそして冷静に対応し、この一冊の詩集が出来上がった。詩集の表題「物質まであと何歩？」は、詩人三好豊一郎さんの揮毫でお願いしようと決めていたので、お願いしたところ「分かりました。」と答えていただいた。詩集が出来上がり三好さんに届けたところ「この本はいい仕上がりに出来ていますね」と微笑んでくれた。これはすべて岡田幸文さんのひたむきな誠意と情熱の賜物だと私は心から岡田さんに感謝と敬意の念をもった。

岡田幸文個人誌「冬に花を探し、夏に雪を探せ。」は二〇一八年一月三〇日第一号が作られた。A4両面で三つ折りの実にシンプルで美しい小冊子である。えこし会に送られてくる詩集や詩誌の中で私が愛読したものの一つである。この個人誌は二〇一九年九月三〇日第十一号で突然中断された。あとがきには「突然ですが、この「冬に花を探し、夏に雪を探せ。」は、今号をもって休刊させていただくことにしました。理由は筆者の体調によるものです。……短かい間でしたが、ご愛読いただき、ありがとうございました。みなさまのご健康をお祈り申し上げます。」と書かれていた。私は直感でいやな気分になった。そしてそれは現実となった。まずは携帯メールで詩人久谷雉からの訃報が入った。まもなく、中村剛彦氏から葬儀の日程が知らされた。葬儀は心ある人人が参集し無宗教という形式をとっていた。献花というシンプルな小形式の中、岡田氏の敬愛するジョン・レノンの曲が流れていた。同時代人として岡田さんがジョン・レノンを敬愛していたこと、そしてあの時代、激しくそして静かに生きた愛を私も知っている。つるむことも媚びることもなく、淡淡と、必要な時に必要なことをする人。私と岡田さんとの付き合いは長いが、話し合った時間は実に短い。しかしいつも彼はぼくの魂の中に友の一人としていて、〝岡田さんやはりぼくらは頑張らなければいけないね〟〝そうだね中村さん、やはり何か新しいことをやりたいね〟等と語りあってきたつもりだ。そういいながらも、私は何か不思議な感覚に襲われ葬儀場を去った。そして電車の中で十二月の寒々しい景色を眺めながら〝やはり岡田幸文は死んではいないよ〟と呟いていた。〝死なんか糞食らえだ〟とまでは言わないが、〝死者は生きている〟というのが今の私の心境である。合掌。

死者の書（俳句篇）

——故詩人岡田幸文讃江十二句

雪はなく夏咲く明日ゆきが泣く

幸《ゆき》が泣く冬咲く花の明日なく
おとといのなつくみしうたゆきのはな
死の種子のしろのかおりの柘榴割
ちちははがほねかじりしはゆきがみち
葬の歌そっとおかれてジョン・レノン
かぜのまちで目を見し鳰をゆきつつむ
ともさってしずかな酒のかんのゆげ
きえていく冬の花火ぞピアノ鳴る
冬の歌しぼりあるきの蟹の目や

詩の羽音しろくきえいくちょうの夢
とおざかる雲おう詩人風あかし

令和二年九月十三日
風客庵

岡田さんに、伝えたいこと　浅野言朗

師、と言える人は、何人かいる。
中学高校の、現代国語の先生。建築の修業時代の、事務所のボス夫妻、そして、岡田さん。
いつも、師は、尊敬と、そして、幾ばくかの反発とを、私に与えてくれた。

岡田さんとの出会いは、八重洲ブックセンターのカフェで、第一詩集の打ち合わせだった。初対面だったので、岡田さんは、「私の目印は、髪を伸ばして後ろで縛っているので、すぐ分かると思います」とご連絡を下さった。新鮮かつ静かな知的興奮に満ちた、岡田さんとのやりとりの時間を経て、第一詩集が出版され、それなりの満足感の後、私は、自分のことを、すっかりと、「岡田チルドレン」であると感じ、それを誇りにも思っていた。

その後も、大変お世話になった。東京堂書店の上階の会議室で続いた「ミッドナイト・ポエトリー・ラウンジ」は、皆勤に近く、詩について多くのことを学ばせて頂いた。そして、多くの人との出会いを持つことが出来た。

準備していた第二詩集が刊行出来なかったことを、少し悔やんでいる。でも、本格的に悔やんでいる訳でもない。出せなかったのは、第一詩集は勢いで出せたけれど、詩について知るにつれ、怖さも知って、どこで定着させていいのか、分からなくなったからだ。そして、その怖さも、つまりは、その漂流も、岡田さんに教わったことである。

実は、いろいろな草稿がパソコンに溢れ、数冊は詩集を編むことが出来る、と思っているが、それを、これから一〇年くらいかけて、一冊ずつ岡田さんと出版することを楽しみにしていた。（そのことを岡田さんに話したら、「目先のことから、一つ一つ形にして行こう」と言われた。）それが出来なくて残念に思う気持ちと、こと、詩に関する限り、岡田さんに随分依存していたので、自立しなければならない、という気持ちもある。だから、第二詩集も含めて、それらの草稿は、どこかで岡田さんの視線を感じながら、自分自身で決着をつけて行かなくてはならない。

よく、池袋のシルクで、大勢で、あるいは、二人でも、いろいろな話をした。そして、池袋駅の改札で、少し酔いの回った岡田さんに、さようならをいう。そのようなルーティンを繰り返すうちに、横浜育ちの僕にとっては馴染みの薄かった〈池袋〉が、すっかり「聖地」になっていった。（ということを書くと、一日の終わりの、岡田さんの、どこか満足げな表情が思い出されて、やはり、とても悲しくなる。）

岡田さんは、答えを教えてくれない。考え方のヒントだけを教えて、投げ返してくれる。（細かいことですが、メールを送信する時に、ccに自分のアドレスを含めることも、岡田さんの真似である。そんなふうにして、自分自身に投げ返す、ということを、教えて下さった。）そのことは、時々、僕を追いつめ、少しだけ、いらつかせ、かつ／にもかかわらず、逞しくもしてくれた。第二詩集は、そんなふうにして漂流したけれども、これも無駄なことではない、と信じたい。

師との向き合い方は、難しいもので、関わりが深ければ深いほど、尊敬は反発と隣り合わせな部分もあるし、距離を取りたくなる時もある。けれど、中学高校の、現代国語の先生、建築の修業時代の、事務所のボス夫妻、そして、岡田さんも、かけがえの無い痕跡を残して……、けれども、僕は、そのことになるべく無自覚であるように努めて、次のステップに進んで行く。

それは、仕方のないことだ。

恩返しをするとすれば、白紙のような未来に向かって、だと思う。

それが現実になってしまったのは、本当に悲しい。改めて書く必要もないくらいに、岡田さんが僕に残してくれたものは、計り知れず大きい。

（付記）今回、本としてまとめられるに当たって、追悼文に加えるべきことがないか、随分、考えてみました。当然といえば当然ですが、結局のところ、私が岡田さんに教わったことは、詩を書き・それを編み・詩集にまとめる、ということの中にあったと思います。その過程での岡田さんとの濃密な時間を胸に刻んで、困難な道を歩んで行きたいと思います。

岡田さんのこと

兼子利光

〈死〉の知らせ、あるいは〈死〉それじたいは、いつでも不意にやってくるものだろうか。太陽と死は長く見つづけることはできない、というロシュフコーの言葉が示す如く、我々は日常生活の繰り返しの凡庸さに埋没することで、〈死〉の恐怖から遠ざかり、逃れているのかもしれない。それだから、〈死〉の知らせはいつでも日常性の薄い皮膜を突き破って、不意の衝撃として我々のもとにやってくるのだ。

岡田さんの〈死〉の知らせもまた、そんなふうに十二月のある朝、山本かずこさんの電話によって告げられた。岡田さんの個人誌「冬に花を探し、夏に雪を探せ。」（十一号、九月三十日）に、「体調」を理由に休刊する旨の記述があったので、わたしがお見舞いのメールを送ると、ほどなくして岡田さんから返信があった。次のようなものである。

「夏バテなのかどうかわかりませんが、身体がだるくて、力がはいりません。いまは養生に努めているところです。落ち着いたら、また成増茶会で会いましょう。」（十月二十二日）

「力がはいりません」という言葉に少し気がかりなところはあったものの、年齢的で一時的なものだろうと、そのときわたしは高をくくっていた。それから二週間ほどして、「亡くなる一ヶ月ほど前、岡田さんは病名も分からないまま緊急入院した。」（中村剛彦「ほんとうの詩を追い求めた人」）ということになる。つまり、わたし宛の最後のメールからわずかひと月半で、岡田さんは亡くなってしまったのである。その急激な生命力の減衰と突然の死は、わたしには衝撃だった。

最後に岡田さんに会ったのは、半年前の六月、岡田さんがていねいに作ってくれたわたしの本『パゾリーニの生と〈死〉』の、ささやかな刊行祝いをしてくれたときだった。成増のイタリアレストランでの、山本さんと三人での会食だった。岡田さんは年齢相応に（なにが年齢相応なのかわからないが）飲み食いし、我々はいつもの文学的雑談を交わした。それから、そのときは飲み損ねたグラッパを次の機会には飲みましょうと、別れのあいさつを交わし、まさかそれがわたしが見る岡田さんの最後の姿となるとも知らず、薄暗い夜の闇のなかで二人と別れた。まだ、たくさん話すことがあったのに、〈成増茶会〉でもっと多くの時間を共有できたのに、岡田さんは突然、わたしの前から消えてしまった。

記憶を辿ってみると、わたしが初めて岡田さんと出会ったのは、確か一九八八年頃、当時大和書房が刊行していた『吉本隆明全集撰』の打ち合わせで上京していた川上春雄を介してだった。場所は九段下のグランドパレスホテルだったと記憶している。もちろん、山本かずこさんも一緒だった。ちょうど、ミッドナイト・プレスが創立された頃だろうか。ミッドナイト・プレスの「詩の新聞」では、吉本隆明のインタビューが掲載され、その中で、『なぜ、猫とつきあうのか』が単行本化されるなど、その仕事ぶりにはめざましいものがあった。その後、二〇〇一年の川上春雄の死去の際には、「詩の雑誌」で追悼の企画があり、わたしも一文を寄せることになる。その川上春雄の墓参を関わりのある者たちで行なった際も、岡田さんと山本さんは参加された。毎年恒例となっていた吉本家の忘年会で出会うことも度々あった。

そして、二〇一三年、神保町のとある交差点の横断歩道（そのとき、「背後からビートルズの歌」が、岡田さんには聴こえていただろうか）で、偶然、わたしは岡田さんに出会う。久しぶりの再会で、ちょうどわたしが晶文社の『吉本隆明全集』に関わることになっていて、その内容見本を岡田さんに差し上げ、再び交流が始まった。何度か、神保町の路地裏にある人けのないイタリアレストランで会食した。岡田さんはわたしのような、だらしのない〈飲んべえ〉ではなく、いつも節度のある飲み方をしていた。もちろん、健康を気遣っていたのかもしれないが。そして最後には、岡田さんの好きなチェーザレ・パヴェーゼに因んで、グラッパを飲んで仕舞いとした。詩や文学、音楽から映画に至るさまざまなことを話し合った。そんななかで、わたしは岡田さんに、自らの精神に制約を加えることもなく、また他者の精神を拘束することもない、という意味での精神の〈自由人（リベルタン）〉を感じた。『詩学』時代の「後記」によれば、三十代の岡田さんは、日本酒をロックで飲み、深夜、車で横浜へ行き、ヨーロッパふうのホテルのバーでカクテルを愉しんだという。そんな静かな放埒もまた、岡田さんの自由な精神のなせるエピソードである。

わたしは、岡田さんに勧められ、ミッドナイト・プレスにまずホラー映画について書き、それからパゾリーニ論を書いていった。パゾリーニ論を書き続けられたのは、まさしく編集者岡田さんのおかげであると思っている。本にする際も、細部まで実に緻密に読んでいただき、わたしのモチーフをとてもよく理解していただいたと実感できた。

いつか、岡田さんにいままで何冊くらい詩集をつくりました？　と聞いて、岡田さんは「百冊くらい」と即答したので、わたしは驚いたことがある。これは岡田さんでなければできないことで、まさしく精神の〈自由人〉であるからこそ可能な仕事だと思う。

岡田さんが詩を書いていることは知っていたが、あまり自分のことを語らない岡田さんは自分の書いた詩について話すことはなかったし、わたしも話題にしたこともなく、それどころかわたしは若いころの岡田さんの詩を読んでいなかった。だから、岡田さんの個人誌に掲載された詩篇が、わたしが初めて読んだ岡田さんの詩ということになる。今度、山本かずこさんによって編まれた詩集『そして君と歩いていく』は、三十年のブランクを経ての、岡田さんの第三詩集ということである。そして、岡田さんが個人誌を出す理由の一つが、詩を書きたくなったからだ、と山本さんは書いている。

個人誌に書かれた十一篇の詩は掲載順ではなく、山本さんによって編集されて、まず最初に「第二章」という詩が置かれている。これは言ってみれば、象徴的な布置で、岡田さんの詩人としての第二章を告知するものだ。あるいは、今だから言えることかもしれないが、岡田さんは晩年になって、新しい詩を書こうとし、そして書き始めたのだ。

例えば、その「第二章」は次のように始まる。

捨てられているものがある
捨てる人がいたということか
夢を見る
夢を見られたということか

これは、ほかの詩にもよく見られる岡田さん特有の措辞である。まず、詩の対象となる事物や事象を措定する。そしてすぐさま、その照り返しの意識としての内省が続く。そうして、岡田さんの詩の夢とも現実の世界ともつかない、夢幻的であり思念的でもある世界が展開する。〈夢〉は、この「冬に花を探し、夏に雪を探せ。」の詩篇にとって重要なモチーフとして通底している。というよりも、あるいは〈夢〉をめぐる長詩と言ってもいいものだ。

わたしはまたしてもその門の前に立っていた

これも〈夢〉のなかで、繰り返し現れるイメージのように思われる。「捨てられ」、廃寺となった寺院の門前で、「わたし」は独り立ち尽くしている。岡田さんが同時に連載していた良寛論、アジア的な農耕村落共同体にあって托鉢の僧侶として生き、すでに近代的な詩意識の萌芽を見せていた近世の詩人良寛のイメージがここには投影されているかもしれない。

ところで、カフカに「律法の門前」という短い寓話がある。律法の門前に守衛が立っていて、ここに一人の田舎者がやってきて、中に入れてくれと乞うが、守衛は決して入れてくれない。男は何日も何年も入れてくれと頼むが入れてくれない。そしてとうとう、男の死が近づいたとき、男は長年の疑問を質す。「どうしてこの長年のあいだ、わたしのほか誰一人として、入れてくれと頼まなかったのか？」守衛は答える。「ここではほかの誰も入ることはできなかったのだ。この入口は、お前さんだけのためにあったのだからな。」

もちろん、カフカの寓話の背後には、ユダヤ教的な倫理や掟の問題があるのだろうが、ここでは岡田さんの詩句に引き寄せて、「存在」にまつわる問題として考えてみたい。「第二章」の最後の行には「遅れてやってきたものが　いまあの角を曲がっていく」とあるように、誰もこの門前に来ることはなく、この門はまさしく「わたし」という「存在」だけのためにあったのだ。そして「わたし」は何度も門の前に来て、立ち尽くしている。それはまるで、「わたし」が門の背後に広がる茫漠として虚無的ですらある自らの「存在」あるいは「非在（死）」を前に立ち尽くしているかのようなのだ。

「川の思い出」は十一篇中、わたしの一番好きな作品である。夢とも現実の出来事ともつかない間《あわい》で、

気がつくと私は何人かの見知らぬ客たちと一緒に川下りの舟に乗っていた

シチュエーションは違っても、誰もがこんな夢を見たことがあるのではないだろうか。「気がつくと」見知らぬ場所に見知らぬ人たちといるという、奇妙で不安な夢である。岡田さんはそれを詩の言葉として鮮やかに形象化して、〈言葉の夢〉をつくりだしている。川のゆっくりとした流れと、その流れに身をまかす浮遊感は、「私」を時間からも空間からも解放していく。

ただ舟に身をまかせていると
いつしか私は川とひとつになっていた

詩は、「しずかにゆっくりと流れている」川のように、軽やかな思念のリズムを刻み、解き放たれた陶酔感を生み出していく。いかなるものも阻害できない自在で自由な精神が、川の流れそのもののように流れていくかのようだ。

この夢のなかのような、時間と空間の意識を喪い、永遠のなかに浮遊する「存在」の実存の意識はこんなふうにも表現される。

ブルックナーが立ち止まった午後もこんな風が吹いていただろうか
ふと考えるこの時はいつに属しているのだろう

（「pseudoblues, 1979」）

それは、現実の時間と場所に具体的に存在していたとしても、時間の流れのなかの、自らは存在しない時間や空間に堕ちこんでしまう、実存の意識としても表出される。

二〇一八年夏　渋谷
セルリアンホテルのバーでウイスキーを喉から胃へとゆっくり流しこむ
街の彼方に大きな夕日が沈もうとしていた

（「オリエントの夕日」）

高層ホテルのバーでウイスキーを飲む、この精神の〈自由人〉は、沈みかかる夕日を見ながら、つまりは実存の意識をもって、自らが〈存在すること〉の不思議に思念をめぐらしている。夢が我々の〈存在〉の深みへの通路となるように、詩もまた〈存在〉あるいは〈非在（死）〉の奥深くに言葉で掘り進み、言葉で〈存在〉じたいを開示する、ということを岡田さんの十一の詩篇はうたいあげているように、わたしには思われる。

わたしにとって、個人誌に連載されたこれらの詩篇の中絶は大きな喪失だった。その意味ではわたしには、詩人岡田幸文は老いて夭逝した詩人である。もしこれが継続されていれば、〈存在〉と〈非在〉をめぐる壮大な詩篇群も可能ではなかったかと想像されるからである。そんなふうに想像してみるのは、実に愉しいことではないか。

＊

山本かずこさんが『そして君と歩いていく』の「あとがきにかえて」で、岡田さんがウンガレッティの言葉を紹介しているところを引用しているので、それに応答する意味で、それにふさわしいかどうかはわからないが、ウンガレッティの詩 Veglia (1915.12.23) を訳してみる。この詩は、ウンガレッティが第一次世界大戦に従軍していたときのもので、すでに須賀敦子訳「徹夜」、河島英昭訳「通夜」として訳されているが、自分の言葉で訳し、岡田さんへの追悼の言葉としたい。

夜通しの喪
　ジュゼッペ・ウンガレッティ

一晩中　わたしは
虐殺された

仲間のそばに
ぶっ倒れていた
満月に
歯の剝き出た
口をさらけ
彼の手の
鬱血が
死の沈黙のなかに
浸みわたる
わたしは愛にあふれる
言葉を書きつけた
このときほど　わたしは
生に
しがみついたことはなかったのだ

（兼子訳）

聞くひと——岡田幸文さん哀悼

玉城入野

　岡田さんと知り合ったのは、二〇一一年の東日本大震災の後なので、十年ほど前になる。その年の八月、朝日新聞の「あるきだす言葉たち」に、三原由起子の短歌が掲載され、それを読んだ岡田さんが、ミッドナイト・プレスのホームページに感想を書かれたことがきっかけである（ちなみに、わたしは三原の夫）。正直、わたしは、それまで、ミッドナイト・プレスという詩の出版社のことも、岡田さんのことも、あまり知らなかった。

　まもなく、わたしと三原は、いりの舎という出版社をはじめ、翌年の四月に短歌の月刊総合紙「うた新聞」を創刊した。岡田さんは、その二か月後に自身が midnight press WEB を創刊したこともあって、わたしたちにインタビューをしてくださることになり、当時副編集長だった中村剛彦さんとともに、いりの舎の事務所を訪ねてこられた。

　以来、わたしにとって、岡田さんは、いつも聞くひとだった。お会いするたびに、たくさんのことを話しながら、岡田さんは、自分の考えや好みを押しつけてくることはなく、わたしの話を、真摯に耳を傾ける姿勢をとって、じっと聞いていていた。

　そして、わたしは、自分の書いたものを、岡田さんに送っていた。数日すると、かならず、感想がメールで届いた。それは、内容がどうこうというより、わたしの文章が、どういう意図をもって書かれているのかを、指摘するものだった。おだやかな言葉ながら、そこに、岡田さんの鋭い批評があった。忘れられないのは、エッセイの体裁をとって書いた文章について、「小説としか思えない」という感想がきたことだ。たぶん、岡田さんは、わたしのひそかな欲求を、読みつつ、正確に感じとったのだと思う。

わたしは、岡田さんの詩を、個人誌「冬に花を探し、夏に雪を探せ。」で、はじめて読んだ。下手な感想をメールで送ったが、本当なら、直接お会いして、わたしが岡田さんの話をお聞きしたかった。しかし、とうとう、お会いすることはできなかった。これからは、詩集『そして君と歩いていく』を、くりかえし読んで、岡田さんの声を聞きたいと思う。

岡田さんと出会ったことでつながった縁、あえていえば、文学の友人たちは、二〇一一年以降のわたしの精神活動にとって、大切な存在である。岡田さんからいただいたものは、はかりしれない。

想像力と千里眼　三原由起子

岡田さんと話したいことがたくさんあるのに、岡田さんがお亡くなりになられたという事実をなかなか受け入れられずに、時間だけが過ぎていきます。

二〇一一年八月、朝日新聞夕刊の「あるきだす言葉たち」に拙作が掲載され、岡田さんがその感想を midnight press のホームページに書いてくださったことが、岡田さんと出会うきっかけでした。「ふるさとを遠く離れて父母と闇を歩みぬ　螢を追って」という拙歌に、岡田さんは「茂吉を見出す」という身に余る言葉を添えてくださったのです。

私は福島県双葉郡浪江町の出身です。家族は福島第一原発事故の影響で、当時山形県米沢市に避難していました。この短歌は、避難先で両親と闇の中の螢を追いかけたことを詠んだ一首でした。もちろん、山形県で作った短歌であることはどこにも書いていません。それなのに、岡田さんはその一首から山形県にゆかりのある斎藤茂吉を連想したのです。この時、岡田さんの想像力と千里眼に心から感動を覚えました。その感動は今でも忘れられませんし、一生忘れません。私は以前から「ミッドナイト・プレス」の名前を目にしていたので、この一首を通じて岡田さんと知り合えたことをとてもうれしく思いました。

それから、夫と創業した出版社、いりの舎のイベントなどにも参加してくださったり、取材してくださったり、私のふるさと浪江町やいわき市にも同行してくださったりと、私たちや福島のことをとてもよく考えてくださいました。弊社が発行している月刊「うた新聞」の丁寧な感想を毎月メールでいただいたことも大きな励みでした。また、ミッドナイト・プレスのお花見やお茶会、web連載にも参加させていただいたりと、岡田さんの豊かな心持ちに、私たちは何度も救われました。こうして何とか文章にしているものの、書ききれない思いがあふれてきます。それは岡田さんの存在が、震災後を生きる私たちにとって、あまりにも大きな存在だからです。今までのように会えなくなったとしても、岡田さんの表情や声や言葉が心の中で生き続けています。

いつかまた岡田さんに「Good!」と言ってもらえるような生き方をしていきたいと思います。

「Ｈｅｌｌｏの思想」　青木孝太

さよならだけが人生だ。

わたしはこの言葉を、誰かと別れるたびに、あるいは強烈な享楽の経験のたびに、しばし自分に言い聞かせながら生きてきたと思う。この生は一回ぽっきりなんだと。

この言葉自体は、寺山修司がしばしば引用していて、わたしの身に染みたもので、もともとは九世紀前半を生きた唐代の詩人于武陵の『勧酒』の詩を、井伏鱒二が以下のように訳したものだ。

勧君金屈巵
満酌不須辞
花発多風雨
人生足別離

コノサカヅキヲ受ケテクレ
ドウゾナミナミツガシテオクレ

ハナニアラシノタトヘモアルゾ
「サヨナラ」ダケガ人生ダ　　――井伏鱒二『厄除け詩集』

当時の国際都市長安で育った詩人が、きっともう二度と出逢うことはない誰かに（旅人？）、酒を勧めているのだろう。あの時代の中国（唐代末の荒廃した時代）で異郷・異教のひとと出逢って、どうして再会ができるだろう。

岡田さんが急逝し、midnight press no.14 を pdf で読み続けるや、ウィスキーの助けもあって、生来の感慨が、感傷のように襲ってくる。

わたし自身は岡田さんとプライベートな話を深くしたこともなければ、ほんとうに親しくしていたのか訝しいところがある。それでも、何かしかの情念がわたしを追いかけて痛ませるとしたら（追悼）、中村さんも書かれていた（上記）が、横浜の場末のバーでの涙だろう。一緒に来ていた友人と、居たたまれない思いで、バーを後にした記憶がある。

そんな感傷に引きずられて岡田さんの詩集『そして君と歩いていく』を読んでいて、はっとさせられたのは、「京都　5」で引かれていた Beatles の一節だった。

You say good-bye,
I say hello.

岡田さんは、この詩集で、歩いてばかりいる。「誰も歩いていない午下がりの歌降町《うたふりまち》」で、京都の鴨川で、ウィスキーを片手に、わけもなく「僕」は「僕」を抜いて「僕」が歩いている。そう書くと、たったひとりで、歩いているようだが、傍らには「君」がいて、他の誰かもどうやら歩いている。
抜寺町《ぬけでらまち》のほうへ足を向ける。
すると曲がり角では必ず
人とすれちがうのだ。
私ひとりではないというわけか、
歩いているものは、
その誰かは、誰だったのだろうかと言えば、その有象無象のひとりにわたしもいたのだと、はっとなる。

于武陵がたぶん腰を据えて、去っていく人たちとの別れを思いながら酒を交わすのに対して、岡田さんは、飲みながら街を歩いて、そして誰かと出逢い、酒を交わしている。だから、わたしのような、詩も書くわけではない人間とも出逢うのだ。「good-bye（だけが人生だ）」と言えば、岡田さんは、John Lennon さながら、出逢いの「Hello」をぶつけてくる。座ってないで、未知なるところへ一緒に歩こうと。

midnight press のお茶会に惹かれたのも、結局は、そんな出逢いに開かれていると感じられたからだったと思う。岡田さんにはだから、別れ際に告げがちな感謝ではなく、〝わたしもまだ見ぬ誰かにＨｅｌｌｏを告げたい〟、そんな思いを手向けたい。

岡田さん――　　中西・ホーリー・三助

……私は岡田さんの事を、よく知らないでしょう。初めてお会いしてから十年ぐらい、は数えるでしょうか？　岡田さんも、きっと、私の事をよくは知らないでしょう。――などと、どうにも無粋な様ですが、こう畏って述べるにつけ、……切実に述べるにつければどうにも、こう、卑しくも素朴に、ひとりごちて仕舞います。

――こちらでは蟬の大音声が聞こえています。どこかから、母親の怒鳴り声が聞こえています。鳥の声は賑やかです。車や電車の騒音もありますし、今朝早くには、秋の虫の様な声もしました。

……いつかの。ゴールデンカップでの、岡田さんを思い出しました。確か年末の、長丁場のイベントです。私は受付を任されていたでしょう。メーンの、盛り上がる舞台周りから、少し逸れた入り口の辺りで受付をしているのに、岡田さんは何度かこちらに来ては「今日は受付やってくれて有難うね」ト。私はよっぽど、逸れた様な、離れた場所から眺めているのが気に入っていたのですが、アラ岡田さんも、ちょっと休憩しに、こちらに来られたのか知ら？　などと、思って、おりました。

――あの日、岡田さんの最後の締めの言葉に、感極まっていたのです。

あの時も岡田さんは、「詩とは何なのか」、「今、詩に何ができるのか」という事を、仰られていました。けれどあの日あの時、感極まって感涙しつつ、強く「大丈夫だ、きっと大丈夫だ」ト……根拠は無くも……、ビートルズ……あの時は、『イマジン』、ではなく『ハッピークリスマス』、だったでしょうか。

――あの感慨は今も胸の裡に、確かめられます。

マイルストーン。あの日・あの感慨があったという思い出を標に、これからも探索を続けます。有難うございます。

（二〇二〇年八月　記）

思い出すこと　岡田幸文さん

川津　望

岡田幸文さんは会場の奥の方にいらした。六年前の七月、はじめてミッドナイト・プレス夏のお茶会に伺った時のことだ。「若い人が来てくれて嬉しい」、と歓迎してくださった。お茶会で、詩について政治の内容も踏まえながら現在を真摯に思考し、議論し合う詩人たちを目撃して、静かに感動したことをおぼえている。

岡田さんについて、はたしてわたしが語ることばを持っているのか、考えていた。ただ、この夏のお茶会をきっかけに、わたしは再び詩に向かうことができた。その後何回かお茶会にお邪魔した。そこにはいつも岡田さんのまなざしとユーモアと音楽観があり、そして詩と共にする確かな歩行があった。わたし自身、岡田さんからかけていただいたことばに励まされ、また、自分自身の詩に対する考え方の浅薄さに気づき、襟をただす思いだった。

さいごにお会いしたのは、二〇一九年二月、八木幹夫さんが講師をつとめられていた山羊塾第十三回入沢康夫の勉強会だった。わたしは、前年上梓した第一詩集を、岡田さんに読んでいただきたくてお贈りしていた。会場で目が合った途端、「帰ってから読んでください」と封筒を渡された。中には詩集の丁寧な感想がおさめられていた。「真価が問われる第二詩集を楽しみにしています」ということばで、手紙は締め括られていた。岡田さんからいただいたこの手紙は私の中で指針になっている。

結びに。岡田さんは晩年、小林レントさんが詩作を再開されるのを待ち望んでいた。ミッドナイト・プレスwebに小林さんの詩があたらしく載ったことをきっと誰よりも喜んでいるだろう。

岡田さんのこと　古沢健太郎

イベントや飲みの席であまりに喋らない私のことを岡田さんはいつも「沈黙の古沢さん」と呼んだ。そんな中私が何か喋ろうとするといつもとても真剣に聴いてくださった。そういう時私は大抵しどろもどろなのだがそうなればなるほど岡田さんは熱心にこちらの言わんとしていることを理解しようと努めてくださっている様子で、私はなにもそこまで、といつも恐縮してしまうほどだった。池袋のマダムシルクで初めてお会いした時に何を話したのかはもう覚えていないのだが、岡田さんがとても真剣に私の話を聴いてくださったことは強く印象に残っている。そしてそんな態度は初対面であったからではなく、そのあとのお付き合いの中でもずっと変わらなかった。私は何年経ってもしどろもどろのままであったが岡田さんは何年経ってもいつも真剣に耳を傾けてくださった。勿論、その他の知合いや友人が私の言うことを話し半分に聞いているわけではない（はず）のだが岡田さんのそれはこう言って良ければ過剰な何かをいつも感じさせた。そこには私の話がわかりづらい、私の声が小さいなどの要因があったかもしれない。だが私はそれよりも岡田さんにはやや不明瞭であってもそこにある何か、そこで発せられている何かを確かに聴き取ろう、聴き取りたいという意志があり、そしてそのような姿勢が「編集者」というお仕事と結びついているのだろうか、といつしか考えるようになった。ただの酒席の会話にすぎないかもしれないが、詩やその他の創作はそのような日常と地続きであるだろう。ある席で私が音楽と沈黙についてお話をしたことがあったのだが、その時岡田さんは私の話を踏まえてこの詩の話をしてくださった。

みみをすます
きょうへとながれこむ
あしたの
まだきこえない
おがわのせせらぎに
みみをすます

（谷川俊太郎「みみをすます」より）

何かの集まりの際にふと二人で話すタイミングが訪れるといつも岡田さんは「古沢さん僕はね、最近こう思うんだ。」と声をかけてくださった。あるときまで詩、というものは国語の授業で少し触れた程度のものでしかなかった。だがいつのまにか私の二十代は詩とミッドナイト・プレスを抜きに考えられないものとなっていた。またゆっくりお酒を飲みながらお話がしたかったな、と思う。

ああ、岡田さん　高鶴礼子

私は、市井にひとり、川柳を書いている者である。文学におけるマイノリティーであるところの川柳は――誤解の内に捉えられ続けてしまってはいるものの――、大勢の方々が思っておられるような皮相的なものではなくて、確たる人間諷詠である、という立ち位置から、静かに発信を続けさせていただいている。そんな私が、岡田幸文さんと出会わせていただくこととなったのは、なんとも言いようのない、不思議なご縁によるものであった。

師・時実新子と交わした「詩と理の論議」がきっかけとなって、非定型の詩を書くようになった私は、ある時、ふと、二冊目の詩集を創りたいという衝動に駆られ、叶うならば、感性の合う方に編んでいただけたら、という希いの下、引き受けて下さる版元さんを探そうと思い立った。インターネットでの検索の、三つ目か四つ目に見つけたのが岡田さんのなさっておられたミッドナイト・プレスである。その時、ホームページ上に記されてあった「創刊号」なる欄を、何気なく、クリックしたのが、岡田さんとの邂逅であり、ご縁のはじまりであった。

ミッドナイト・プレスという会社のことも、岡田幸文さんが、どのようなことをなさって来られた方であるかも、何一つ知らなかった。けれど、そこに刻まれていた「創刊」に際しての思いを目にして、私は思わず、息を呑んでしまった。

思うところあって、心底惚れた師匠の元を辞し、ちいさな川柳誌を立ち上げてから十余年。岡田幸文さんなる方が、そこに綴られている思いは、いつかの日の私の思い、そのものであった（僭越な申し上げ様を、なにとぞ、お許し願いたい）。記されている言葉自体が同じであったということではない。一語一語に託された思いが、十余年前、拙主宰誌創刊号入版にこぎつけた時の私の思いに、見事なまでに通底していたのである。

もはや、他に選択肢などなかった。この方にお願いしたい、この方に創っていただけたなら、という思いでいっぱいになりながら、逸る指先で連絡先を辿り、受話器を手にした。

拙い草稿を携え、岡田さんの事務所をお訪ねしたのは、その直後、二〇一六年四月十八日のことである。奥様の山本かずこさんと三人で過ごさせていただいたのは、じんと穏やかな時間であった。途中で、岡田さんが、私に一つの質問をされた。

「川柳には商業誌はないのですか」と。

「一誌だけ、あります。実は、その誌の創刊時に、一年間、句評を頼まれて担当させていただいたことがありました……。一年もの間、拝読すれば、その誌の、出版ということに対する姿勢のようなものが感じ取れると思うのですが、その川柳誌そして出版社のご姿勢は、私にとって賛同しかねるものでした。商業誌に関わることは、損か得かと言えば、もちろん、得にはなるのでしょうけれど、ここは私の関わるべき場所ではない、と思ってしまったので、以来、不遜を承知で、そちらとは一線を画させていただいています。」

そう申し上げた時、かずこさんが、「あれ、おんなじ……」と呟かれるのが聴こえた。あれ？　岡田さんも同じような体験をなさっておられるのかなと思ったことが不思議と記憶に残っている。

どのくらいの時間、お邪魔していたのかは、定かではない。けれど、何も言わないでも、なんだか、通じ合えるような、そんな雰囲気が嬉しくてならなかった。お名残り惜しさを抱えつつ、ありがとうございました、と申し上げて、事務所を後にする。たとえ、上梓が叶わなくとも、あの方のご判断なら、素直に受け取れる、そうなった時は、自分の非力さを見据えて頑張り、再度挑戦させていただくことにしよう、と、そう思いながらの帰路であった。

岡田さんにお目にかかったのは、後にも先にも、その一度切りである。願い叶って、岡田さんに創っていただけることとなった拙詩集は、その年の九月に産声を上げた。「鳴けない小鳥のためのカンタータ」と名付けた集題を、岡田さんが褒めて下さったことが、ただただ、歓びだった。

その後も、拙主宰の川柳誌をお贈りするたび、岡田さんはそれを丁重に読んで下さり、あたたかなお言葉やご批正を記し続けて下さった。岡田さんが届けて下さるそうしたメッセージが、どれほどの励みとなったことか、とても言葉では言い尽くせないほどだ。ささやかな営みに対して、岡田さんがお示し下さったのは、《創る》ということに対する《比類なき誠実》であったように思える。

かずこさんがご恵贈下さった岡田さんの詩集『そして君と歩いていく』、そして中村剛彦さんや五月女素夫さん、八木幹夫さんが書かれた追悼の辞や詩を拝して、私の中の岡田幸文さん像は切ないまでに膨れ上がってゆく。けれど、それは新たなる岡田幸文さんの発見ではなくて、ひたすらの拡大である。あの、邂逅の瞬間、私を捕らえて放さなかったひとつの直観、岡田幸文というひとの生き様と不可分であるところの実存の相は不動である。何を聞いても、何を知っても、決して揺らがない。岡田幸文さんは、最期まで岡田幸文さんであった。岡田幸文さんであることを貫かれ、最期まで、戦士であられた。そのことの尊さ、豊穣さを思う。

岡田さんを標として、これからをゆくために——。自身への叱咤を託した次の一句を御霊前に捧げます。得難い邂逅を、ありがとうございました。

一念をただ踏んでゆけ死んでゆけ　　高鶴礼子

〈unlimited〉　森　路子

岡田さんがお亡くなりになる数日前のこと
ミッドナイトプレスのみなさまとご一緒に
病室をお訪ねしたとき

ひとりひとり順番に
岡田さんにお声をかけさせていただきました。
私は何と言おう…
そう思っているうちにすぐに私の番になり
岡田さん…
ただお名前だけを呼んで

ベッドの上の岡田さんのお顔をのぞきました。

あっ

私がお訪ねするとは思われなかったのでしょう。

岡田さんは声にならない声をあげて
目を大きく見開きました。

そのとたん
私の目から涙がぼろぼろこぼれて
止まらなくなり
私たちはそのまましばらく見つめあい
うなづきあい

岡田さん、私の詩集も作ってくださいね。
そう言うだけが精いっぱいでした。

*

岡田さんと私の出会いはほんのひととき。
長い物語も特別なエピソードもありません。

想い出されるのは
お酒を飲みながら子供みたいに笑う
楽しそうな岡田さんの姿ばかり。

だけどもし、岡田さんと私を結び付ける
特別なアイコン、があるとすれば
それは「白隠さん」かもしれません。

岡田さんはご自身の個人誌で
「良寛さん」の詩を

読み解かれてらっしゃいましたが
「白隠さん」にも
やはりご興味がおありとのことで

お酒を飲んでいる時にふと私が、
二十年ほど前から白隠さんの呼吸法に
興味を持ちつづけていることを
自分自身の体験もからめながらお話しすると
岡田さんは思いのほか関心を示され

その後、日日の会※でも
テーマとして取り上げて下さり
私は「いきの細道」と題してつたない話を披露しました。

白隠さんについては、
もとより私などが語れる対象ではなく、
また、呼吸法を通しての私の体験談は、

言葉や文字にするにははるかにまだ遠い段階で
振り返ると恥ずかしくなる内容でしたが

出だしが面白い、と岡田さんはほめて下さり
私も、おぼつかないながら言葉や文字にすることで

自分の中に寝かせていた感覚が蘇るような新鮮さを覚え、

もっと自分の言葉で語れるようにしたい、
そしてそれを岡田さんにお伝えしたい…

その時そう思ったことを
岡田さんを偲びながら、今まざまざと思い出しています。

私は岡田さんから、
期限のない宿題をいただいたのかもしれません。

※二〇一七年から一年ほど開催された少人数の人文学研究会。文学に限らずさまざまな分野をテーマに取り上げた。

個人的な岡田さんの思い出　大沼　悠

岡田さんと初めて出会ったのは、今からおよそ十年前の二〇一〇年頃、当時の首都大学東京（現・東京都立大学）で行われた現代詩のイベントにおいてであった。当時私は大学生で、同じ学科に小林レントという、岡田さんのミッドナイトプレス社から詩集を出したことのある友人がおり、彼に誘われて複数の友人たちと行ったものである。その会場に岡田さんと、同社の当時の副編集長であり、この原稿をご依頼いただいた中村剛彦さんが一緒におられ、挨拶をさせていただいたことが始まりである。

このイベント自体は北川透、藤井貞和、瀬尾育生、福間健二各氏らによる講演とディスカッションがメインであったが（会場自体は三百人程度が入れる小ホールであったと記憶している）、イベントの終盤に、来場者がスタッフから小さな紙片を渡され、そこに各々が考える『詩とは何か』という問いに対する答えを書き入れ、最後にそれが壇上で紹介されるというコーナーがあった。

特に文学少年・文学青年であったという訳でもなかった私は、それまでに読んだことのあった詩集と言えばせいぜい片手で数えられるほどであり、そもそも「詩」自体を「文学の中の一ジャンル」という程度にしか捉えていなかったため、この思いもよらない、それでいて茫漠とした（と感じられた）問いへの回答に困り、「自身が現時点で答え得る誠実な回答」として、ただ一言、『わからない』と記入した。もっとも、このように回答したのは私だけではなかったようで、後に回収された紙片の内容が壇上で紹介された際には、これと同様の回答がいくつかあった。

なぜこのような私個人のつまらない思い出話をするかというと、このイベントの帰りしなに小林レントや一緒に会場に行った友人たちと、岡田さん、中村さんと居酒屋でご一緒させていただいたのだが、その席でもやはり『詩とは何か』という話になり、岡田さんが「今日（のイベントで）『わからない』って書いてた人が何人かいたけど、やっぱり『わからない』じゃだめなんだよなあ」と笑いながらおっしゃっていたことを、その日の一番の印象として覚えているからだ。

岡田さんにとって（そして、多くの詩人たちにとって）、『詩とは何か』とは根源的かつ究極の問いであり、わからなくても求め続けるべきものであったということを当時の私は知らなかった。そこで「わからない」と答えることは停滞することであり、その瞬間だけでも詩に対する思考を放棄することになる。それは『詩とは何か』を求め続けてきた岡田さんに対して、失礼なことをしてしまったような、申し訳ない気持ちであった。

ただ、私が定期的に岡田さんと関わるようになったのは、今から約五年前の二〇一六年頃、先に挙げた友人の小林が倒れ、彼が入院していた中野の警察病院に岡田さんが見舞いに来られた時からだった。

初対面の時の岡田さんは白髪で、後ろ髪を細く長く縛って垂らしておられたが、病院の待合室で久しぶりに見かけた際には髪を短く刈り込んでおられたので、挨拶をするまで一瞬誰か分らなかった。当時中野に勤務していた私は高円寺のアパートまでの帰り道ということもあり、よく彼の病室を訪れていたが、その日は他にも多くの見舞客に恵まれ、待合室は静かながら、賑やかでもあった。

病院を出たその帰り道、当時出来て間もない中野駅北口の歩行者デッキの側で岡田さんから名刺を渡していただき、ミッドナイトプレス社の青い月のロゴマークがなんとなく可愛らしいなあと、友人の身を案じつつ思ったりしたことを覚えている。


その後、同社が当時主催していた「小さなお茶会」や、それを引き継いだ「日日の会」という有志によるイベントを通じて岡田さんとしばしばお会いするようになったのだが、私のような若輩の門外漢に対しても岡田さんはいつも紳士的であった。岡田さんは『詩とは何か』を求め続けると同時に、詩を詩人だけのものと捉えず、誠実な方法で、その間口を拡げることを確実に実践していた。

最後に岡田さんと酒席を共にしたのは、「日日の会」の最終開催日、池袋の東京芸術劇場近くの居酒屋であった。いつもは一軒目で帰られることが多かった岡田さんは、その日は珍しく二軒目もご一緒していただき、そう長くはない時間であったが、数名で杯を交わした。

皆そこそこお酒が回ってきた頃、他愛のない、何かの話の流れで、私がふと「そういえば、岡田さんはいつ頃ご結婚されたんですか？」と聞いたとき、珍しく少し大きな声で「今日は突っ込むなあ！」と照れたような笑顔でおっしゃり、はにかみながら話してくれたことを思い出す。私の知る岡田さんは普段より自身のことをほとんど話さない方であったが、その際の様子から、奥様のことを本当に愛しておられることが分かった。

私は詩人ではなく、編集人でもなく、岡田さんと接することができた時間はそう長いものではなかった。だから、岡田さんの編集人としての功績や偉大さは、周囲の人々から聞き、遺された記録から拾うのみである。私が知っている岡田さんは、「発言する人」であるよりも「問う人」であり「聞く人」であることを好み、「考える人」であると同時に最後まで「行動する人」であった。『詩とは何か』という、まさにその一つの問いに対して、人生そのものを賭して向かい合っていた、というよりは、その問いそのものが岡田さんの人生であったのだと、今改めて思う。他人に対しては優しく、自己にはとても厳しい方であるということは、その表情に常に表れていた。

そして、こう書くと岡田さんに嫌がられるかもしれないが、照れ屋で、はにかみ屋さんでもあった。

私は、そんな岡田さんが好きだった。何よりも誠実でやさしい、愛のある人だった。

「詩への情けと愛」に生きた人――岡田幸文さんを偲んで　石館康平

岡田さんに初めてお会いしたのは二〇一七年四月五日で出版依頼を介してのものでした。

出版を準備していた私の第二詩集が不測の事態から頓挫し、この方面に伝手のない私はネットを通じて出版社を探す破目となりました。十社余り候補を挙げ、手紙と第二詩集草稿、第一詩集を参考に添えて郵送するという手順を踏んで一社ずつ当たることにしていました。最初に接触したS社からはいくつか面白いものがあるけれどもという外交辞令とともに本社の目指すところは実験的な試みであり云々、という至極ごもっともな断り状をいただきました。二社目が岡田さんのミッドナイトプレスでよい手応えがあり、さっそく面談の上ということになり、言わば「サドン・デス（sudden death）方式」で候補を一巡するという手間暇を省き、幸運にもその場でお世話になることが決まる展開となりました。

岡田さんはわたくしの既刊第一集『時の川べりで』を丁寧に読んでくださっており、ちょっと長めのあとがきの中で私が披歴した詩についての私の考え方に共感して頂けたようです。そして私の一つの詩を「ほんとうの詩の」一つとして帯に取り上げて頂くことができました。このような場面で吐く嘘がどれだけ辛いものであるかを知っていますので、岡田さんの「詩への情けと愛」を感じたのです。編集者による承認こそは何物にもまして著者への最高の勲章となるものですから。こうして思いがけなく得られた知遇を第二詩集の完成後もメールや酒席を通じて深めてゆくという幸運に与ることが出来ました。

「詩への情けと愛」

悲報には思いがけない形で触れることになりました。二〇一九年二月に一〇三歳で他界した母の第三句集の出版依頼の電話をさしあげたことによります。知らなかったとはいえ、それどころではなかったはずのところへ奥様の山本和子様には大変ご迷惑をおかけしてしまいました。和子様から頂戴した「えこし通信25号」に掲載の中村剛彦さんの故人への敬愛と哀惜の真情がひしひしと伝わる追悼文により、私の二年足らずの短いおつきあいの中で知り得なかった多くを知って、改めて私の失ったものの大きさと、それにもまして短い交流の中で私の得たものの大きさに気づかされました。ここでは中村さんの導入された、「本当にそうだ」と膝を叩きたくなるキーワード、「ほんとうの詩を追い求めた人」に蛇足ながら岡田さんを語るもう一つのキーワード、「詩への情けと愛」をこの場だけの話として使わせて頂きたいと思います。

この言葉は詩人、小説家の富岡多恵子さんが詩人としてデビューした頃に「私淑」していた室生犀星さんについて彼女自身がご自分のエッセイの中で述べられている言葉の一部なのです。富岡さんがまだ何者かでなかった頃に犀星さんから受けた好意と推輓を多としつつ、それが詩を目指す老若の新人に等しく向けられていたものであることを徳として表したものが「 」の言葉でした。犀星さんはもとより鋭角的で独創的な詩人として尊敬を受けてはおりましたが前衛的、実験的な詩作者とはみなされてはいなかったようです。しかし小説が本業のようになった晩年に至るまで、自分とは異なる詩風の作品や、あたらしい作品に対する目配り、そして羽化したばかりの「幼」詩人への励ましを終生怠らなかったと聞いております。このせりふの語感が素晴らしく、この言葉が耳について離れませんでした。きっと心の奥底では犀星さんを求めていたのでしょう。

私がそのような犀星さんを知った時には犀星すでになく、齢六〇にして犀星、賢治を導きの星として詩作の道にはいったものの、ご両人はお手本としては最も不適切、というよりはお手本にはなり得ない方々だったのでした。身近に詩友も師友もなく、さりとて恐る恐るページをめくった詩誌も、そこで交わされる言葉は自分では使ったことのない、決して使いたくないような怒り肩の言葉にあふれており、こういう言葉を平気で使える人の詩とはどんなものだろうかと考えると、到底身を寄せる場になりそうになく、二度と近づこうとは思いませんでした。おそらくこれは私の気後れに由来する過剰反応か誤認のためでしょう。中村剛彦さんの紹介された「詩の雑誌 midnight press 創刊号」に蝟集した、それでも岡田さんということでフィルターがかかっていたに違いない綺羅星のごとき詩人たちですら私にとっては一括敬遠の対象でした。例外は初期の谷川俊太郎さんですが、さすがにこの顔ぶれでは、詩作品については存じ上げぬものの、文章の書き手としては声が悪いのにベルカントで歌うような悪趣味の方はおらず、義太夫、浪花節、シャンソンなど大半の方々がそれぞれ作らない地声で聴かせきる力を御持ちかと思います。それだったらまず地声のチャンピオンとして岡田さんを挙げなければならないでしょう。岡田さんの時流に毒されていない、衒いのない平明な文章は、炎暑の緑陰にひっそりと置かれた奇跡のベンチでした。

この度奥様よりご恵贈に与った遺稿の第三詩集によって、岡田さんご自身の作品に初めて触れました。曲折を経て得た結論を先に言えば、私に分かるようになった作品からは、岡田さんがあの時代をこのように生きて詩を書いたというよりは、現代詩そのものを生きてきたのであるということが伝わってきます。現代詩の現場の雰囲気が立ち上るこれらの詩群は清新で生きがよく、私の忌避し続けてきたのは一体なんだったのだろうと思われるような、私には想像できなかった世界でした。

岡田さんの詩については後に改めて触れますが、私にとって伝わってくるのが一読メッセージとして、うわっ！　わかるっ！　というよりは、伝えたり共有したりするのがより難しい、岡田さん、あるいは時代の持つ「ある気分」のようなものです。そう考えると私の感じる「わからなさ」の理由が少しわかる気がします。岡田さんにとってあれほど大切な意味を持つビートルズが、私の心象風景の一つの証言として立ち現われたことは一度もありません。また希望を失い自堕落となって安酒場でとぐろを巻くというくだりのW・H・オーデンの訳詩さながらにオーデンとわが身を重ね合わせるという現代詩を絵にしたような青春の一ページを持っておりません。そして学生時代からすでに詩学社に出入りしつつ詩人としての在り方を見据え、傍らには浮遊しがちな？詩魂を繋留し、岡田さんに錨の如く不動の拠り所を与えている同志、さらにミューズとしての奥様のお姿。こうしてみると私とは違って岡田さんこそは現代詩の歴史の一つの類型ならぬ、原型を生きてこられた方であるとの感を深くします。

このように岡田さんと私との間には気分として共有できているものが決してあるとは言い難く、にもかかわらず共有できているわずかのものの通い路もまたあいまいな気分というものであるという一見パラドックスじみた関係が見えてきます。現代詩人としての岡田さんとの交流は残念ながら岡田さんの没後より始まるのですが、その間における最大の成果はこの見かけのパラドックスの消滅でした。それはわずかに彼岸と此岸を繋いでいたチャンネルである土管の目詰まりに対して第一に強い流れが当たったこと、第二にその異変を感知して速やかに裏（こちら）側から目詰まりを突き崩す動きに出てこのチャンネルを太いものとしたことにあります。これを可能にした最大の功績は岡田さんの詩句の持つ強い衝撃力にあったのは勿論です。私の側にも功績があったとすれば、これまで他の現代詩人には用意しなかった特権、すなわち可能なチャンネルのすべてを見張り態勢下に置き、コンタクトに備えたことでした。見方を換えれば私と現代詩との「未知との遭遇」にはそれだけ不自然な意識的取り組みが必要であったということになります。……一九九二年のリバー・ガレージ・ギグとのコンタクトがこのようにして成立したのです。

とは言っても岡田さんが歴とした現代詩人であるのは間違いありませんから、私の定義からすれば岡田さんは現代詩のわかる側「あちら側」の人である。私の側からの岡田さんへの承認と、岡田さんの側からの私の承認は別の話である。にも拘わらず岡田さんが本当の詩の担い手として、「こちら側」の人間である私をも承認してくださったのは大きな励みとなるできごとでした。あるいはわかる、わからないを分かつ境界というのは私が考えるよりもっと模糊としたものなのかもしれません。また岡田さんの知性がもともと広い文明の沃野に立脚しているものならば、必然的に教養（とはゆとりの源泉です）が邪魔して岡田さんを偏狭な原理主義者の立場には立たせなくしてしまう。そういう立場に立つためには岡田さんはあまりに詩を愛しており、詩の未来を信じているのです。もう、区別なんかどうでもよいのかもしれません。要するに詩は詩である。これが私にとっての「詩への情けと愛」を体現する人、岡田幸文さんとの出会いとなるものでした。そして岡田さんが犀星さんの生まれ変わりのようである、いやわが身に引き寄せて、この表現が当の御本尊様よりぴったりとあてはまる人であるという確信が、編集者としての生身の岡田さんとのやり取りを通じて、またその後の交流を通じて深められていったのでした。

岡田さんについて知れば知るほど、どれほどの方に拙い私の詩集のお世話を頂いていたのだという僥倖に、改めて有ることの難いものであったと、感謝の念が湧き上がらざるを得ません。ただ、編集者としての岡田さんだけではなく、目の前に生きて呼吸する私の知る唯一の優れた現役の現代詩人に、ご存命中につき従って学ぶ機会を失したことは、返す返すも痛恨の極みです。

岡田さんと出会うまで

高校生の私は自作の反射望遠鏡を使った天体観測に熱中しており、漠然と天文学や地球物理学に憧れていました。高校三年の頃だったでしょうか。私はふとしたきっかけから詩を書いているという同じ町に住む同期生K君と話をするようになりました。話し手は語るべきものを持つ彼で、わたくしは寡黙な彼がゆっくり熱を込めて語る詩についての話のもっぱら聞き役に回っていたと思います。ある日、立ち寄った彼の家で購読誌だとして「詩学」という見たことも聞いたこともない高級そうな雑誌を紹介されて圧倒され、ただでさえ上背のある彼の落ち着いた温顔を仰ぎ見るような気分でした。

「詩学」の友人とはその後、二、三度の往来を経て交流が途絶えてしまいましたが、「詩学」の二文字はその珍しい呼称とともにわたくしの脳髄に深く刻まれたのでした。三十から四十年近い月日を経てふたたび「詩学」との縁が戻ってきました。私が生化学を専攻してから、某国立研究所に就職し、研究上の行きがかりで仕事の場をアメリカに移す前後の話です。

K君の蒔いた種は何十年か経ってから芽を出し、いつの間にか私は詩を読むだけではなく詩を書こうとするようになっていました。

しかし戻ってきたK君との縁も彼の消息がつかめず、詩の話をすることも出来ず、また彼が詩を書き続けているのかどうかもわかりません。

決定的な詩句に出会うのもこのころです。どこかで目についたルネ・シャールの、〝耀くこと、立ちのぼること、すばやい小刀、ゆっくりとした星〟に出会った時の驚き。「うわわーっ、な、なんだこれは！」。いちばん恥ずかしい姿を誰かに目撃されはしなかっただろうかと、思わずあたりを見回してしまうような秘密の出会い。この詩がもたらした気圏の中での出来事として、人口に膾炙しているらしいのに、六十年間知らずに過ごしてきた西脇順三郎さんの以下の詩句を新聞の小さな囲み記事の中に見つけた時の驚愕は忘れられません。かの犀星をして「こんな詩の一行が持てれば何十年かは遊んで暮らせる」と歎ぜせしめた、私の知る最高の日本語で書かれた詩的表現の一つ　〝（覆《くつがへ》された宝石）のやうな朝／何人か戸口にて誰かとさゝやく／それは神の生誕の日。〟を最高の詩と言い切れなかったのは、私には八百万の神はなんとなく分かりますが、キリスト教の神というのがどういうものか分からないからです。

その後二十年近くの歳月を経て、私の第二詩集を出す際に、岡田さんとお会いしたいきさつは冒頭でのべました。岡田さんとは実年齢では私が一回り以上古手ですが、詩的閲歴に関しては、私は駆け出しの青二才に過ぎず、学殖、実績、実力のどれをとっても岡田さんは師事または兄事すべき方でした。遅すぎました。岡田さんとお会いするのが遅すぎました。十五年に及ぶアメリカ滞在中の後半から始まり帰国後に続く二十年近くのただ一人で行っていた詩作生活の長い年月の果てに、やっと巡り合った岡田さんと一人ではない喜びと愉しみを味わわせていただきました。いよいよこれから多くを学ぼうと思っている矢先、岡田さんは私を置き去りにして逝ってしまわれました。全てが始まる前に。

残されたのはこの三年余りの中で岡田さんの事務所を訪れた三回ほどの機会と、岡田さんをお誘いした銀座のシェリーバーと、中野のウィスキーバーでの各五時間ほどの酒席の思い出、数十篇に及ぶメールのやり取りの中に散見される業務上不必要なメッセージの数々だけが思い出の宝庫となっているのです。詩友というべきものを持ったことのない私にとって、とりわけ詩の話しかしなかったこの二つの酒席での十時間は夢のような世界でした。酒食そっちのけの客は接客係にとっては悪夢だったかもしれませんが、よく耐えて破綻を見せないでくれました。

詩人としての見識、力量から言えば、実年齢とは逆に岡田さんは私とは比較にならないのですが、岡田さんはその気配を露ほども感じさせずあくまでも対等な立場に立っておられたと思います。それを岡田さんの人柄ややさしさに帰するのはきっと安直にすぎるでしょう。岡田さんにとっては詩がすべてです。「詩への情けと愛」こそが岡田さんにそのような在り方を強いるのではないでしょうか。人にやさしい前に詩にやさしいこと、詩が生きられていることが大切なのです。詩の魂が宿らない場所に生きる岡田さんを考えることができるでしょうか。私にとってもそれはありがたいことでした。岡田さんがそうするのは自分がより楽しむためで、道徳的にそう振舞っているのではないことが分かっていましたし、前口上なしにストレートに話の核心に入っていけましたから。

岡田さんの詩

先に私は岡田さんの詩はストレートに分かり易いものではなかった旨の発言をしています。詩が分かるということについては語りつくせないほどの多くの議論があるでしょう。

アインシュタインに有名な言葉が残されています。「もし君が自分のやっていることが分かっているというのならば、それはサイエンスではない」。先生ができの悪い学生を叱るときの決まり文句が「おいおい、せめて自分がなにをやっているかぐらいは分かってくれよ」であれば、ずいぶん天邪鬼なセリフです。その心は「自然は君のちっぽけな頭で始末をつけようとしているよりもずっと大きいんだよ」。分かろうとする人間の営みが、分かることを通して新たに分からないものを露わにしてしまう。それは獲得した知で膨らみゆく風船が、その分未知による包囲を受けてしまうという、分かることにある二重性を明示するに至ります。詩についても霊感的な示唆に富む言葉でしょう。

私にとって詩とはサイエンス同様、分かるべきもの、分かってこそ何かが始まるものです。ですから分からないときは分かろうと努力します。分かることには報酬が伴います。第一に分かることは楽しいことです。分かると得するのです！　分からなければ何事も始まりません。分からないから面白い、分からないからこそ何かが始まるという議論がありますがそれは負け惜しみの屁理屈で、よく言ってレトリック倒れ。分かった時の思考の翼が風をはらむ快感を知らない、知ろうとしない意気地なしの立場です。

たしかに、詩には言葉になっていないし意味も分からないけれども心をかきたててやまない何かに、既に意味を持たされている言葉で形を与えたいという不可能な野心を担わされているところがあります。言葉の極限を問えば意味の破壊に行きつかざるを得ず、極限まで行かなくてもそういう野心を帯びた前衛的な試みが難解なものとならざるを得ないのは当然の帰結でしょう。だが言語の可能性の追求が破壊に向かう一方向のベクトルを持つことがどなたかのセリフにあった？ようにニヒリズムに至らざるをえないことにはならないでしょうか。一体に、言葉が意味を持たされていることが理不尽な重荷としてあまりにも否定的に捉えられてはいないでしょうか？

言葉によってはじめて実現されたことへの讃嘆や感謝が足りないと思います。意味があることの意味を生かし切り言葉をもっと豊かにする方向への努力をもっと強調するべきではないでしょうか。意味があるからこそ言葉は面白い。

分かりにくい現代詩を理解しようとして苦労、いや困惑してきたものとして、分かろうとする努力の一つとして初学者の一法を編み出しました。とりたてて目新しいものではなく誰かがどこかで既に実行されていてもおかしくはありません。それは困難が言葉になりにくいものを言葉であらわすというところにある以上分からない、または分かりにくいのが当たり前。まず無理して分かろうとしないこと。その上で自分と世界をつなぐあらゆるチャンネルを全開にして心と感覚を、瞑目など自分に得意な方法で再起動する。

躓く。面白い。ばかばかしい。なぜか気になる。それから詩篇に漂う気分など。心と感覚を自由に遊ばせる。何か引っかかるところがあれば分かった兆し。一つでも面白いところがあれば万々歳。なかったら？なくって当り前。全部作者の責任です。

でもこれ尤もらしいけどちょっと寂しいですね。まだ他に方法があると思うのですが。

前置きがすっかり長くなってしまいました。実は岡田さんとお話ししている気分になってしまって。私は自分に分かりにくいか分からないものを仮に現代詩と呼びならわしておりますが、この度初めて岡田さんの詩を拝見し、既述のように若干の留保を置きつつも全体として分かりにくいところが多くみられました。

ここまではほぼいつも現代詩を相手にした時の反応です。ショックでした。相手が岡田さんだったからです。ここが分かれ目です。いつもはショックを受けません。ただ放り出すだけですから。その意味では私が現代詩と対峙する一般論の姿勢としては嘘を吐きました。今回は岡田さんを特別待遇したけれどこの特別待遇を今後一般化するものと受け取って頂ければ嘘はなくなります。正直のところ上記〝尤もらしいけどちょっと寂しい〟方法は岡田さんの詩作品に対して急遽用意されたものです。霊験あらたかでした。

　それまで無反応だった作品に次々に反応が表れだしたのです。あるいは詩句全体を覆う雰囲気において、あるいは特定の連、行、措辞などが引き起こす劇的な効果において。このように難解のヴェールを脱ぎ捨てて立ち現われた作品の魅力はとくに私が青春賛歌と仮に名付ける岡田さんの当時のポップで清新な詩風において著しい。ここでは岡田さんは四〇歳前後の青年です。それは私には絶対に書けない、私にはなかった、かくもありうる青春の姿を彷彿とさせるものです。重苦しい題材を扱っても漂う清涼感はどこから来るのでしょう。もしかしてこれは岡田さんの天性のリリシズムから送られてくる風なのかもしれません。残念ながらこれらは、第三集からは拾遺としての姿で瞥見できるのみですが、いつか昔の二つの詩集を目にしたいものです。

　いいですね。岡田さんの、私が勝手にそう名付ける「ポップ詩」は。サックス（私にとって聞こえてくるのはフォークのギターではなくいつもジャズのサックスなのですが。申し訳ありません）に乗った軽々とした足さばき。歩いていても疾走感があって。全編が音楽のようです。初めはもっと分析的に分かろうとしていたのですが、こういう分かりかたもあるだろう。さしあたり「いいのだこれで。雰囲気が分かれば」という気分になってきました。むろん分かったほうがもっと楽しいのでこれからも分かろうとはするでしょうが。原稿締め切りぎりぎりになってこういう幸せな報告ができることを心から嬉しく思います。頭が幸せな混乱状態となっていて整理がつかないままに言い逃げみたいになって申し訳ありませんが。最後の最後になって岡田さんへの便りのようになってしまいました。

　岡田さん。ありがとうございました。

もうひとつの「あとがき」　ふし文人

この冷えた現代に、詩はどれくらいの意味があるのだろう？　ほとんど壊れかけのラジオのような存在だとしたら、自分はその中の新しいＭＣ。とゆうことになるのだろうか。テレビでさえ舌平目の昨今、ラジオ、いや詩を読む人がどれくらいいるのか……

ボブ・ディランが言う「現代の詩人は、歌にして歌うんだ」と。ならば自分だって歌ったほうが人に届くのかもしれない。いや実際、人々はあいみょんとか西野カナの歌を聴くわけだし。だからというわけじゃないが、実際に何曲か歌にしてみた。なぜか三十曲もできたあと、歌の才能がないことに気づいた。それを悲劇ととるか喜劇ととるかは、キョリ感による。

ウツ病の増加、さらには老人が幅をきかす時代が到来。するのだから、もしかしたら詩だって読まれるかもしれない。また薬のような役割があるかもしれない。老眼にはツラいだろうけど。俳句や短歌という定型のほうが日本人らしいが、ただ自分は自然派ってわけじゃないから。それに元々型を壊すほうが好きだし、やっぱり詩のほうがあってる。そんな詩をたまにしたため、十年以上すぎた。

その十年間書いてきたものを、改めて自費出版で詩集を出そう、と思いつき、それで検索してみたら、ミッドナイトプレスという、何ともナイスな名前の出版社があった。詩を書くには、人々が寝静まった深夜便が一番なのだから。まぁ社会人としてはどうか分からないが、東京はそんな人々をも受け入れてくれる砂漠で。ミッドナイトプレスはそんな中、オアシスのような詩専門の出版社だ。

砂漠のオアシスをみんなに分かちあえたらと。そう直感的に「信用できる」と思ったのだ。詩を専門に出版するなんて、言ったら悪いが売れないに決まってる（はず）だから、逆に詩に対する信頼や意義を感じてないとできない仕事。たまたま家から近い偶然もあり（新宿や文京区でもなく）。

初めて打ち合わせ、直感が確信に変わった。成増の一室は静かながら、整然としており、担当のOさんは谷川俊太郎似の素敵な方だった。しかも部屋には、木の板に「ミッドナイトプレス」と書いてある。洒落てるだけでなく、信念を感じた。打ち合わせをする中で、ますます今まで不確かだった「詩」「詩集」「詩人」が確固たるものに変わる。

それはいくつか実際に出版された本を見せていただいたこともあるし、Oさんの人間性にもよる。まるで自分にとっては、二十年いや四十年かけてたどり着いた天国のような、そんなぬくもりがあった（無論天国に行ったことはないが）。ショートケーキを頂き、帰り際に板に書いてある字のことを尋ねると、なんとそれは現代詩人のトップランナーである谷川俊太郎その人の直筆。

来るべきして来たのかな。勝手にそう思いながら、夜の線路際を歩き、なぜか涙が込み上げてきた。なぜだろう？　おそらく、詩は自分にとって必要なことで、何回も助けられてきたからだ。そして詩を書くことは孤独な作業だけど、心の底から出た言葉。魂、といえば大袈裟かもしれないが、その時に流れた涙は確かに魂からの叫びだった。いやそれは悲しさではなく、もちろん喜びの。

はい、少しオセンチ。ただ自分の魂の欠片が、世の中のお役にたてればと。少しでも、そう少しでも人を救い、貢献できれば嬉しい。精神が安定した人には必要ないのかもしれないが。たまには命を救うかもしれない、そんな消火器のような詩集を。世界を測るモノサシとして十年後、二十年後にも読んでもらえたらと。

（註　この「もう一つのあとがき」は、ふし文人詩集『サラサラと流れる水くさい水』のために書かれた「あとがき」です。当初、ふしさんから「あとがき」二案が送られてきました。どちらかを岡田に選んでほしいと打診がありましたが、岡田は、「ふしさんがお決めになればよいと思います」とのお返事をしたのだと思います。このあとがきをお読みいただければわかると思いますが、岡田自らは「こちらで」とは、あえて選べない内容であったからだと思います。岡田のこと、ミッドナイト・プレスのことがとてもよく伝わってくる「あとがき」です。ふしさんからは「あとがきに書いた岡田さんについての文、もちろんよろしければご自由にお使いください。自分も嬉しいですし、よろしくお願いいたします」との承諾をいただきました。（ミッドナイト・プレス）

岡田さんにお会いしたのは、一度だけ。それは自分の処女詩集を作る最初の打合せの時で。非常に感銘を受けました（そんなことは人生でほとんどない）。

ただその後はメールや手紙のやり取り。岡田さんの亡くなる数ヵ月前、九月に処女詩集をミッドナイトプレス社から出版していただきました。まさか岡田さんがその直後の十二月、亡くなるとは知りもせず（翌年の夏まで知らないまま過ごした）。

二〇一九年の間中、ゲラ校正など進めていただき、もしかしたらそれで病状を進めてしまったのかな。などと今さらながら考えても、すでに遅し。ただ岡田さんの魂がこもった詩集を、出版できたことを誇りに思います。

二〇二〇年夏から二〇二一年夏まで、コロナ禍の元、少しずつ岡田さんの遺作「そして君と歩いていく」を読み進めました。詩集はゆっくり読まれるべきもの（読者の中で）、そして熟成するのに時間がかかる。

また和子さんに送っていただいた皆さんの追悼文や、過去の岡田さんの写真を見たりし。そこには自分の知らない岡田さんの姿がありました。音楽（ビートルズ）を愛し髪が長い姿、また皆さんの話に耳を傾ける姿（自分の時もそうだった）、少し悩みながら真摯に詩へ向き合う姿。

こうして皆さんが岡田さんについて書くのも分かるような気がします。人柄。愛されるのは、人を愛したからだろう。素晴らしいなと思います。

死後に岡田さんから教えられ、今さら学んでる。それは詩人としての姿勢であり、生きざまでもあり。どちらかといえば映画や演技の世界に生きてきた自分は、周囲にそのような文筆家（詩人）はあまりいなかった。

だからこそ門を開き、寛大にも受け入れてくれた岡田さんには感謝しかない。ここに改めて、岡田幸文氏への謝意を伝えさせていただきたい。故人の影響は、残された人の思い出の中だけでなく、作品を通して残ってゆくのかもしれない。などと思いながら。

最初の日、最後の日　藤井 孝

昔、まだ若かった頃。かぞえると四十五年前の話だ。

鷺ノ宮にあった友人のアパートで、数人の音楽好きが集まってだらだらと遊んでいた時があった。そこへ当時の仲間で本郷の左翼系出版社に出入りしていたKというのがいて、見知らぬ人と一緒にやってきた。二人ともすでに酩酊のご様子。出版関係の知り合いかなと思ったけれど、その人は某大学六年生との由。これが岡田さんと顔を合わせた最初の日だ。なんだか「アニー・ホール」のウッディ・アレンのような、と思ったのを覚えている。よく喋った。音楽談義はザ・バンド「ミュージック・フロム・ビッグ・ピンク」から、クィーン「ボヘミアン・ラプソディ」まで及び、初対面もどこへやら、愉快な夜だった。

のち岡田さんは「新・表現人」なる印刷物を作ったりしつつ、詩の世界に入っていった。私といえば、音楽以外のモノを知らないアンポンタン。当時ライ・クーダーやイーグルスといったロック・ミュージック一辺倒だったそんな私に、ジャック・ブレルを教えてくれたのは岡田さんだった。「アムステルダム」はその後いろんな音楽を聞いていくきっかけになった曲だ。

私は下戸だ。だから岡田さんとの酒のつきあいは、ない。それがちょっと淋しい。マダム・シルクの岡田さんはよく知っているけれど、ゴールデン街の岡田さんは知らない。そういえば、いちど私が少しのビールで眼を回してしまい、あげく呑み助の岡田さんに自宅まで送りとどけられるという、もうアベコベなこともあったもんだ。


岡田さんが、死んだ。

私には岡田コーブンではなくて、やはり岡田さんだ。

弔問のあと数日のあいだ、岡田さんが死んだ、岡田さんが死んだ、と心で呟いていた。

岡田さんが死んだ、岡田さんが死んだ、岡田さんが……。

いつの間にかそれが、ダルマさんがコロんだ、ダルマさんがコロんだになってしまった。

達磨さんが転んだ、達磨さんが転んだ、達磨さんが……、達磨さん、達磨さん、達磨さん……良寛さん、良寛さん、良寛さま。

いま目の前に一枚の写真がある。越後国上山五合庵に肩を並べて佇む岡田さんと私。二〇一九年四月、新緑には少し早かったけれど、山桜がところどころ満開で、快晴の陽の中、大変美しかった。

深いところまでは分からないけれど、私にも中野孝次や水上勉の本を通して良寛さまには親しみがあったし、そういえば子供の頃の遠足で五合庵には来ていたんだっけ。その良寛の日々歩いた越後の里を、駆け足ではあったけれども岡田さんに案内出来て、ちょっぴりいいことをしたかな、と思ったりした。

しかし、これが計らずも岡田さんとの最後の日になってしまった。
岡田さん、長い間ありがとう。
出雲崎良寛堂、日本海を前に立つ岡田さんを、忘れないよ。

Tシャツの紳士　伊藤康司

岡田さんと初めて会ったのは、ある仕事場で一九八一年のことです。少し親しく言葉を交わすようになった師走の日、控えめな様子で「詩集を出したので…」と本を（無地の表紙に「あなたと肩をならべて」）。「詩には無縁の輩で…」などと言いつつもサインしていただいた。あの太めの万年筆で青く記された日付は、81・12・9（といま知る）。

あとがき――いつだって just now だけだった　に「詩集を出そう、そう思いたったのは一人の死者のことを考えていた夜のことだった。……ジョン・レノン41回目の誕生日に」とあり、これが岡田幸文さんとの38年の始まりとなる。

マダムシルク（昔の立教通りから）などでグラスを交わす。きっかけはだから殆ど音楽の話、ブラームスの4番はシルク盤、ジュークボックスには Silence is Golden、好みはすぐにわかった、でも岡田さんは常にこちらの話を聴く、持論をぶつなどまずない人、大変な目利きの人なれど。なんと良いお酒、時間だったか。握手して「じゃ又」と言うまで記憶は薄れず、いろんなものを持って帰った気がする。

八〇年代のある日、待ち合わせた新宿の喫茶店に「今、トリュフォーの「終電車」観てきたんです」と現れた岡田さんの傍には山本かずこさんがいた。そしてそれからは、どこでもいつも幸文さんとかずこさんは一緒だ。

一九八九年一月、おふたりは「詩の新聞 midnight press」を創刊。平成という三十年まるごとの midnight press の始まりです。ミッドナイトブルーで刷られたA４版16頁――吉本隆明氏の連続インタビューや、河島英昭氏のイタリアの詩の旅や……でも何より編集後記ミッドナイト・ヴォイスから読む。それから時たまの「埋め草ビートルズ」、岡田さんの訳詞はジョンの声が聴こえるようだ。〝このカモン！カモン！は日本語に置き換えることはできない…だから僕はその声のする方向へ出かけたのだ…〟

十年を経て「季刊　詩の雑誌 midnight press」へ。創刊の辞は変わらない――いま、一篇の詩を――。まさしく春夏秋冬、出来た雑誌の発送に皆で集まった日を、何度か所を移した事務所の引っ越しに梱包の本を運んだ日と共に、懐かしく想い出す。何人かのこの良き仲間（ミッドナイト・ワーカーズと呼ばれた）に自分もいたのだと。

31号まで出された季刊誌、その後はＷｅｂでの発信。岡田さんは本当の編集者でした。そして、「詩」の人だ（のに、こちらには少しも意識させない人）。

何かが溢れるように個人誌「冬に花を探し、夏に雪を探せ。」が次々、あの万年筆の一文を付しておくられた。良寛の人と漢詩を本格的に論考し、久しぶりに岡田幸文名義の詩が巻頭に。

九月のある日、時々の「岡田です。」のメールに「パターソンという映画、観ましたか?」見過ごしていたとバックした暫く後観る機会があった。Patersonという町（ウィリアム・カーロス・ウィリアムズが出た）に住むPatersonというバス運転手。まだベッドに眠る愛する女性をあとに、毎朝早い仕事に出る。運転中も頭に浮かぶ創作中の詩が画面に流れる。今度会ったらこの話をしようと二人で言っていたのだが――

Tシャツ、ブルージーンズ、スニーカー、いつもの格好できめた岡田さんが、マダムシルクのテーブルの向こうから手をあげた。

ミッドナイト・インプレッション　伊藤早苗

一九八二年七月某日。四人が会ったはじめての夜。吉祥寺「サムタイム」でジャズを背景にビールとウィスキーで盛り上がる。最後の一杯ドライマティーニがたがを外し　気がつくと終電は過ぎていた。幸文さんと和子さんと　連れ合いと私は霧たちこめくちなしの花むせぶ真夜中の井の頭公園を漂いながら橋をわたった。外灯の下に白く浮ぶ花一輪たおり私は和子さんの髪にさしたと思う。太宰治が投身した玉川上水際の畑の中の借家まで　楽しくて嬉しくてみんなで笑いながら歩いて帰った。

幸文さんと連れ合いは　たずきの夜の仕事場で親交がむすばれた。彼らの大好きな音楽と映画　詩を書く人と詩が好きな人　年に一度四人で酒盛りをするようになり　和子さんはアルコールを飲まないので周りの騒ぎをいつも静かに受け止めていた。そうしていると　ごくごく希に和子さんが「クスッ」と笑うことに気がついた。ほんとうに人知れず「クスッ」と笑う。そこで今夜も一回は「クスッ」とさせようと秘かにねらう楽しみができた。ビールとワインをたくさん　ブルーチーズとチョコレート　アズナブールとビートルズ　他にもたっぷり聴いて満足するまで浸った。心底晴れ晴れしい日の夜は幸文さんが宣言した。

《今度パリに　アズナブールを聴きに行きましょう》

楽あれば苦ありのしがらみをそれぞれに持ちながら　音楽に心身をゆだねる豊かな時間であった。

《僕　詩を読みたくなった》と　ある年幸文さんは一篇の詩を朗読した。そして泣いた。涙を流している幸文さんにびっくりして　どうしていいかわからなくて私はその詩を覚えていない。

二〇一九年七月某日。和子さんにささげる日々草がこの日のために咲いていた。お持たせの生ハムとメロンでゴージャスに　クイーンで祭りがはじまった。クイーンのどこがいいとか映画がどうだったとかちょっと興奮してボヘミアン・ラプソディを聴いた。

すでに一年も前のこととなった。

ちょっと会話が切れ音楽も切れるぼやっとするようなあいまに　時として独り言のような私の物言いに
《僕も　そう思う》と幸文さんがポソッと応えることがあった。それは意外な肯定であった。

私たちが出会ったはじめから終りまで　幸文さんと和子さんには　尊敬と労りと琢磨しあうこまやかな愛の空気が流れていた。そして常に美しい言葉使いと礼儀正しさで接してくれた。

いわれなく無性に「人」に会いたいと思ったことがある。そうした時に頭に浮ぶのは幸文さんだった。今ならわかる。肯定されることは安心すること。自分自身を肯定することは――生き抜く――こと。

二〇一九年十二月十四日 荒川。

逝去された幸文さんに　伝えたい思いを抱いている人は大ぜいいるでしょう。
『あなたと肩をならべて』
幸文さんの全てのはじまりであったこの詩を　中村剛彦さんがしっかりと声たかく朗読された。そのことは　伝えられなかったそれぞれの思いと　この日ここにおられない人々の思いをも伝えられたように感じられた。
幸文さん　ありがとう。

《僕も　そう思う》

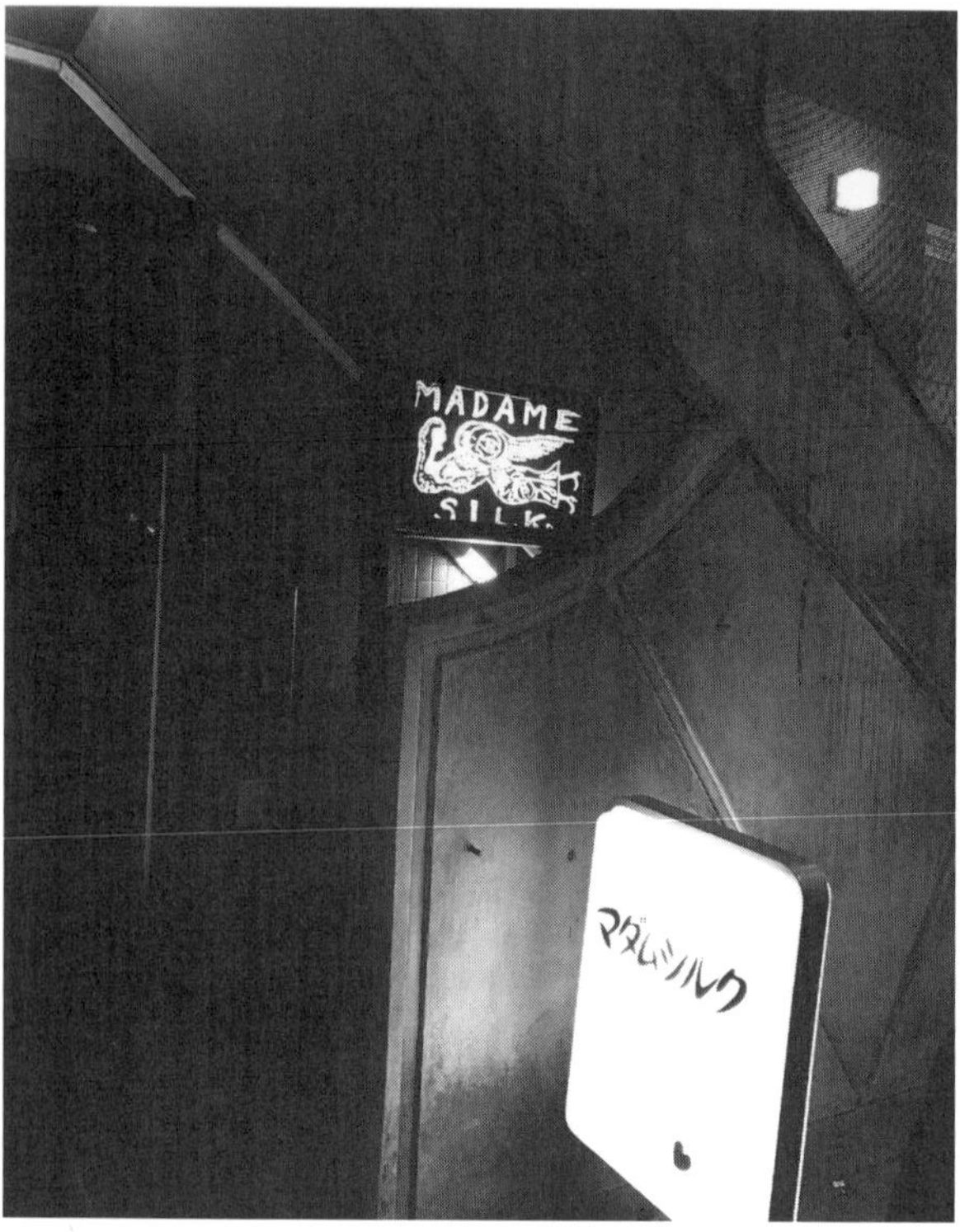

岡田が愛した池袋のマダム・シルクの最後の夜（約50年間続いた）。さっちゃん、早苗ちゃん、ゆかちゃん、とべちゃん、たえこさん、、、ありがとうございました。

（2020年8月15日　山本かずこ）

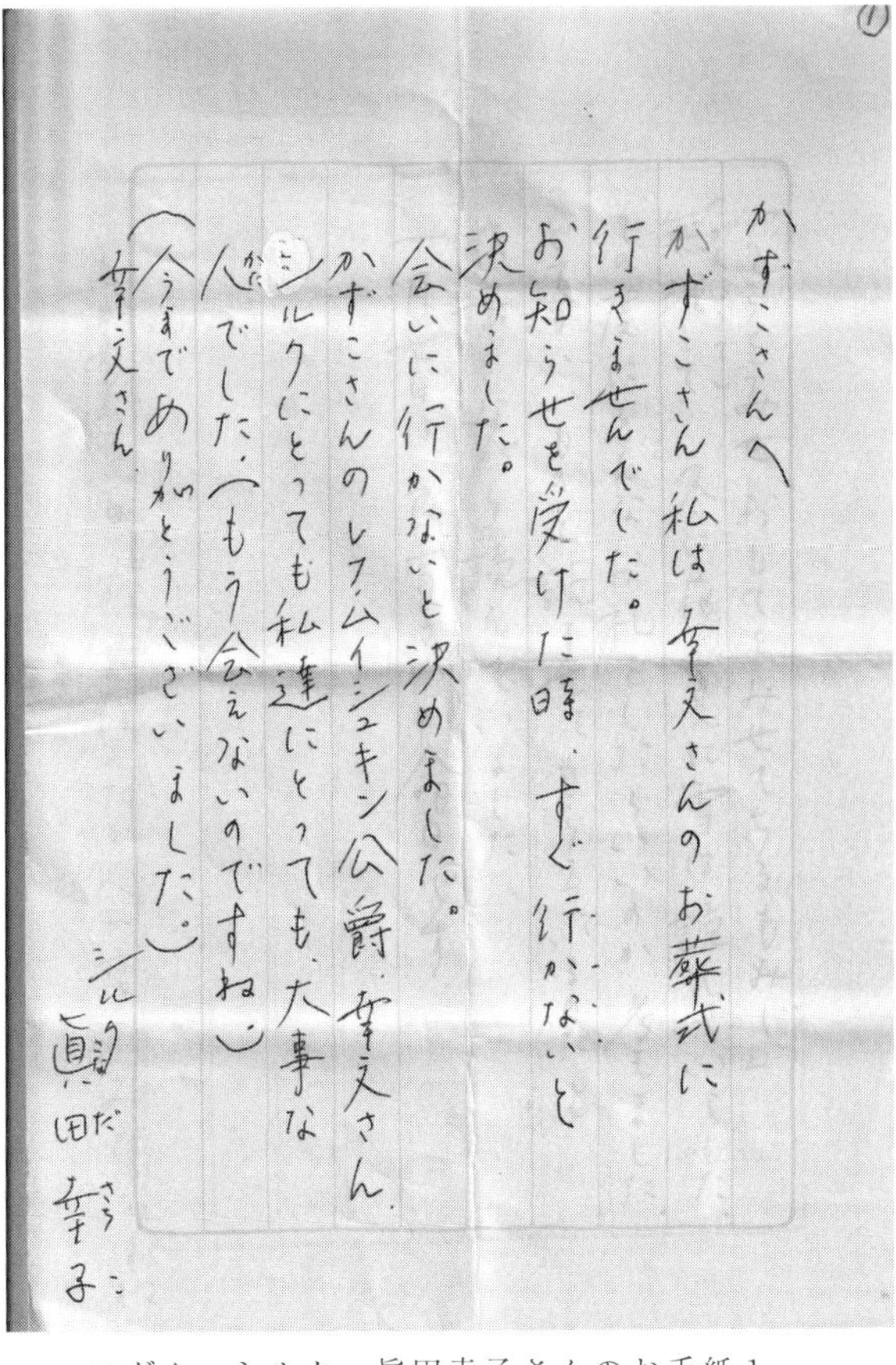
(1)
かずこさんへ
かずこさん　私は　幸文さんのお葬式に
行きませんでした。
お知らせを受けた時、すぐ行かないと
決めました。
会いに行かないと決めました。
かずこさんのレフムイシュキン公爵、幸文さん、
シルクにとっても私達にとっても、大事な
人でした。（もう会えないのですね。）
（今までありがとうございました。）
幸文さん。
シルク
眞《さな》田《だ》
幸《さち》子《こ》

マダム・シルク　眞田幸子さんのお手紙1

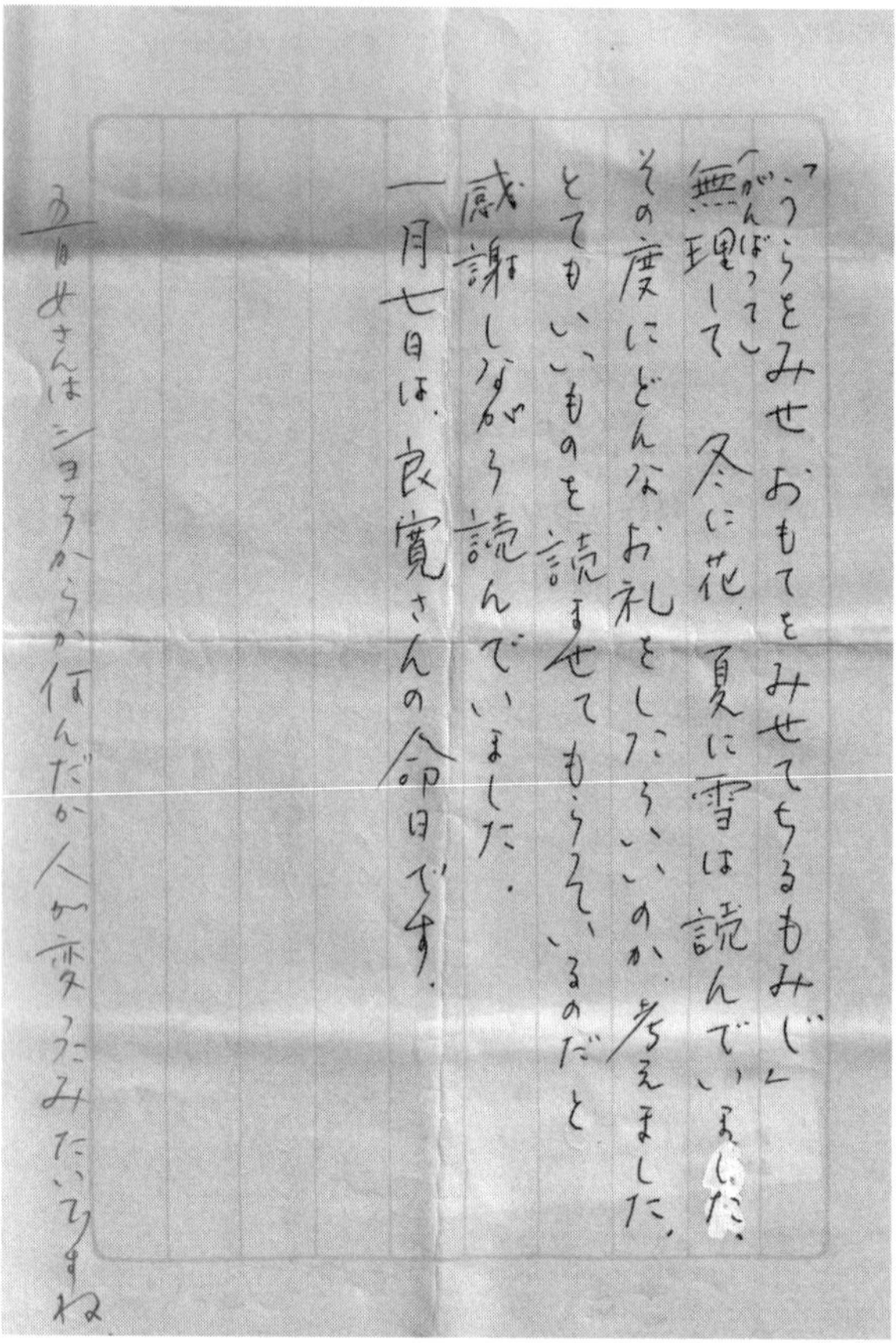
「うらをみせ おもてをみせてちるもみじ」と
「がんばって」無理して 冬に花 夏に雪は読んでいました。
その度にどんなお礼をしたらいいのか考えました。
とてもいいものを読ませてもらっているのだと
感謝しながら読んでいました。
一月七日は、良寛さんの命日です。
3/日 めさんはショックからか何んだか人が変ったみたいですね

マダム・シルク　眞田幸子さんのお手紙２

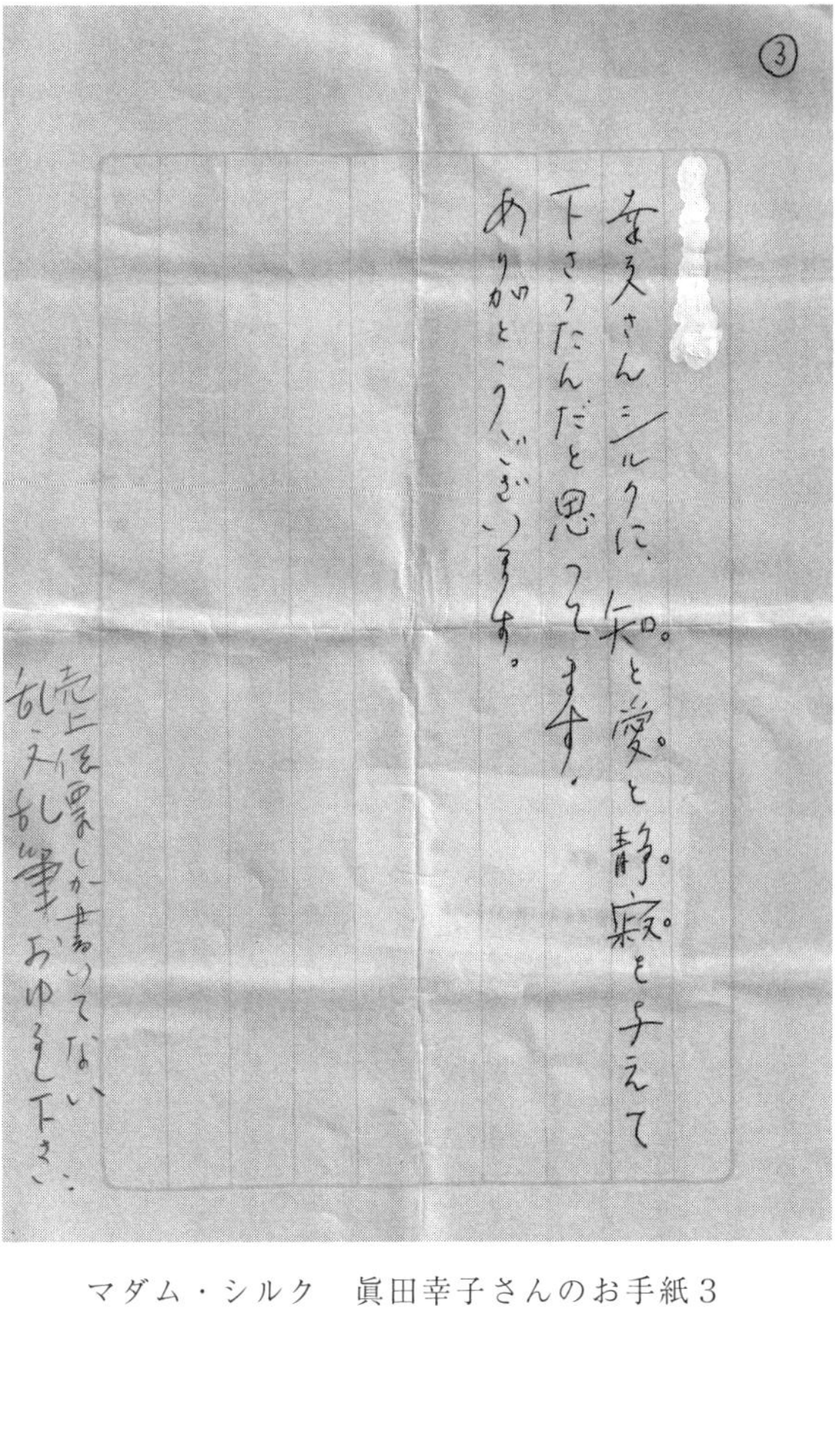
奥さんシルクに、知と愛と静寂を与えて
下さったんだと思っています。
ありがとうございます。
売上伝票しか書いてない、
乱文乱筆おゆるし下さい。

マダム・シルク　眞田幸子さんのお手紙３

七月二十九日　戸部美奈子

誕生日に贈るメールに添えた、ゆるキャラの着ぐるみ
「これは、とべちゃんなの？」
やさしいトーンで何度も質問された
気持ち悪いと評判の高い、その着ぐるみ
私にとって、それは、たまらないキャラクター
私はその質問が、毎回、とても嬉しくて
とにかく、たまらなかった

閉店一日前のマダム・シルクにて。
（2020年8月14日）

マンション富士（ムイシュキン侯爵のこと）　山本かずこ

右と左と、どっちが僕のアパートだと思う？　真夜中だった。タクシーを降りると、道の真ん中に立ったその人は、わたしに質問する。

まず、左を見る。お世辞にもきれいなアパートとは言えない。一階は何か商売でもやっているのだろうか。貸し事務所のようだ。二階がどうやらアパートになっているらしい。それから、右を見る。こちらは新築と思えるきれいなマンションが建っている。さて、右と言うべきか、左と言うべきか。その人を見ると、楽しそうに笑っている。

わたしはちょっと迷ったあと、右のほうを指さした。あきらかに美しいとは言えないアパートのほうを指さしたりしたら悪いと思ったからである。こっちですか。すると、その人は無邪気に言った。ハズレ！　左でした。

嬉しそうにそう言ったあと、ようこそ、とわたしを自宅に案内するのだった。その人とは、その日、初めて会った。部屋に入ると、六畳の部屋は本で埋め尽くされていて、畳の部分は見えない。ほら、こうすると、本の山が崩れてくるんだよ。両手を広げて飛行機の格好をすると、窓際に積んである本にぶつかった。座る場所もなかったから、ベッドの端に並んで腰をかけた。

きみにこれを聴かせよう、そう言って、その人はたくさんあるレコードジャケットから一枚を抜き出すと、かけてくれた。その曲が、ビートルズのナンバーで、「オール・マイ・ラヴィング」だったということはあとから知ったのだけれど、その人はこれまでわたしが生きてきたなかで出会ったどの人とも違うということが、直観でわかった。

その直観は正しかった。知り合ってしばらくして、その人を見ていると思い浮かぶ人がいた。実在の人物ではなくて、ドストエフスキーの小説『白痴』のムイシュキン侯爵なのだった。あの、無垢な部分が似ている。好きな人を喜ばせることに、汚れも打算もなんにもない。年齢はわたしより二歳年上だという。

あの時代を「ムイシュキン侯爵」はいったいどのように生きてきたのだろう。僕はノンポリだったんだよ。ビートルズばっかり聴いていたんだ。僕にいろんなことを教えてくれたのは、マルクスではなくて、ビートルズだったんだよ。そのなかでも、死んでしまったけれど、ジョン・レノン。毎年、発表されるジョンのアルバムを楽しみに一年を生きていた、と言っても言い過ぎではないくらい。

知り合った頃、その人はフリーだった。わたしはフリーではなかった。でも、かつて会ったことのない人物、「ムイシュキン侯爵」のほうに気持ちは傾いていった。

彼はビューティフルな心の持ち主である。わたしは彼にはふさわしくない。そのことは自分でよく知っているのだった。けれど、「ムイシュキン侯爵」を守ってあげることができるのは、わたししかいない。そのことも直観でわかっているのだった。

周りから見れば、わたしのほうが守られていると見えたかもしれない。しかも、それまでの、わがままで、自分勝手なわたしの生き方が、改まるとも思えない。だから、苦しめるかもしれない。だけど、「ムイシュキン侯爵」はわたしが守ってあげたい。その気持ちだけは、偽りのないものだった。

彼は、生きるのに、今日も苦戦を強いられる。世の中、威張る人が多いけれども、彼らには「ムイシュキン侯爵」を理解することは不可能だろう。威張られても反撃することをしないから、情けないやつ、弱いやつだと見くびる人もいるだろう。威張ることとぐらい恥ずかしいことはないとは言わないけれど、天然の部分で知っているのだ、彼は。

繊細とは、バカのことを言うんだよ。「ムイシュキン侯爵」は、ときどき、自分をあざ笑うけれど、もちろん彼はバカではない。

ここまで書いてきて、「マンション富士」のことが出てこないことに気がついた。「ムイシュキン侯爵」と一緒に暮らし始めたのが、文京区西片にある、そのマンションだった。


（『日日草』（北冬舎）収録　二〇一一年七月刊行）

花も鳥も風も月も

山本かずこ

とむらいは　終わらないよ　一生　終わらない　かもしれない　あのひとの場合は　Nさんは　そう
いったそうである　あのひととは　わたしのこと？　とむらいとは　いつかは　終わるものなの？

空を見上げても　終わらない
雨に打たれても　終わらない
雪に降り込められても　終わらなかった
一年を経て　とむらいは
花も鳥も風も月も
終わらせることはできないことを知った

しらこ川沿いにも
また　春になったら
桜の花は咲くでしょう
夏になったら
あなたが暑いという　ほんとうに
いつまでも暑いわね　と
わたしが答えて
夏の終わりに　たえきれず
髪を　短く切りました
いつのまにか　秋がやってきて
なります橋を　ゆっくりと歩いてゆく
あなたの
うしろ姿をみかけたような気がした
橋のたもとで　立ちつくしていると
十二月の夜も更けてゆき
見上げると
空には　月がのぼっています

その神々しさをもってしても
とむらいを　終わらせることはできなかった

それでも
花は　咲き乱れ
鳥は　大空を自由に飛び
風は
いま　季節が移ったと
わたしに告げる
そして
月は

月は
一度だって　変わることのない
無償の
愛の光で
見守りつづけてくださることでしょう

永遠に
わたし（たち）を

「えこし通信」第二十六号（二〇二一年十二月）

山本かずこ『恰も魂あるものの如く』
——静かな詩集、迫力あることば——

八木幹夫

最近、現代詩を読むことの苦痛に耐えている自分がいることに気付いてハッとする。詩表現とはもっと自己の存在それ自身に忠実であったはずだとしばし考えることがあるからだ。もちろん、個人的な述懐が垂れ流しされる人生講話はウンザリだが、といって言葉のインフレで消費社会を反映した外来語や消化不良の思想の断片を丸呑みさせられるのもキツイ。社会の複雑化や都市生活者の関係の希薄化に対応して表現される「たましい」の変容も認めざるを得ないのだが…。現代人は電子媒体の情報網で一方的な言葉の放出を瞬時に受け止め、それによって心が揺れ動く。発信者の表情やそこに生じる精神の「間合い」が省略され、剝き出しの乾いた「言葉」だけが相手に届く。本来、発せられた「ことば」には相手があり、受け止めて返すやわらかな「こころ」の往還が前提となって成立するものであった。そのことばは現在だけでなく空間的な遠近を越えて未来の時間に届くということもある。それは作者でもあれば、見ず知らずの未知の読者でもある。

『渡月橋まで』のことば

山本かずこの今回の詩集を読んで、同じ言葉を使う詩集でも、やはりそのことばの質量が圧倒的に重く、泡沫のように湧いてくる昨今の詩集群とは明らかに異質なものとして受け止めた。ほぼ四十年前に刊行された『渡月橋まで』（いちご舎一九八二年一〇月十三日初版）は山本を鮮烈な詩人として印象付けた。そのことばは今でも生き生きと生動している。

筆山ホテル

赤いタクシーに乗り込んでから
「山へ」
と男は言いました
路面電車の線路を置いてきぼりにして
山は
いくつかの坂と
いくつかの林を抜けたところにあるのでした
この山にも
春には蕨やぜんまいが
やっぱり顔を出すのでしょうか

夏には露草が
ひっそりと花を咲かせているのでしょうか
そんなことを思っていると
街の灯が遠くの方でちかちかしました
きょうはなぜ
「いいわ」
だなんて言ったのかしら
どんなに考えてみても
もうあとの祭りなのでした
(『渡月橋まで』より)

詩集『渡月橋まで』を読んで以来、私にとって「山本かずこ」はずっと都市空間の只中で揺れる一本の葦のような存在だった。都市には水が枯渇しかけている。砂漠なのだ。乾いた地中から生きる水を手繰り寄せようとする強烈な実存を感じさせる詩人。それが山本かずこだった。『渡月橋まで』には沢山の地名や固有名詞、友人や娘や男たちや赤の他人が登場するが、歌い込まれた途端に地名や固有名詞は不可欠の要素となって位置を占める。日野市立第七小学校運動場、椎名町陸橋、しんめい橋、桂浜、はりまや橋、弥生町、筆山ホテル、室戸岬、堀の内、等の場所が既視感(デジャヴ)のある空間となってしまう。それほどに作者の凝視力は強い。経験の奥深さ、男と女の、のっぴきならない孤独な関係。それらが読者の奥深いところで繋がってくる。人間の業の深さをとことん追求したこの若き詩人は四十年を経て、さらに深みへと下降していく。

『恰も魂あるものの如く』のことば

今回の詩集『恰も魂あるものの如く』は共に現代詩の原野で闘い続けてきた詩人、編集者、夫でもあった岡田幸文が編集し作りたかったものに違いない。そういう確信の持てる「山本ワールド」である。残念ながら、岡田は二〇一九年十二月九日に病気のために死去した（享年六九歳）が、この詩集にはいたる所に天上からの眼差しが感じられる。題名がその作品全体を象徴するように「魂あるものの如く」山本のことばは流れる。かつて『渡月橋まで』に隠されていたもの、ことばにされていないもの、それ自体では理解しようもない混沌と逆巻く時間の渦が見えてくる。ここには山本の生い立ちがほのかに明かされていて、読み進むうちに深い感慨に捕らえられる。「語ること、書くこと」の静かなすさまじさ。時間の奥行きを感じつつ、詩は三十年や四十年を飛び越えて、いまここに生々しい現実世界を現存させてしまう。そんな覚醒感がある。

或る日　母は　鬼の顔を描いた　白い障子に　朱の墨汁で　幾つも
幾つも　鬼の顔を描いた

ツノもあった　訪れた　誰もが　ぎょっとしたにちがいない

〈これは、何?〉
〈いったい、どうした!〉

今となっては　詳細は知らない　子どもであった　わたしは　何も
たずねなかった　鬼の顔は　ただ　描かれて　ただ　そこに在った
のだ

（「母の戦い」冒頭部分）

この母の「鬼の顔」は家に夜な夜な訪ねてくる異形の者たちから我が子（作者と妹）を守るために護符として描いたもの。あの耳なし芳一は般若心経を身体中に貼り付け、唯一貼り損ねた耳を異形の者に奪われたという話だが、母は障子に一分の隙もなく赤い鬼を描き付けたという。終連は

般若心経の代わりに　白い障子に　朱色の鬼の顔を描きまくった
母は　連れ去ろうとする　異形の存在から　私たち子どもを　守り
抜いた　世間体など　どうでも　よかったのだ

母親のこうした妄念は幼い子どもたちを時に怯えさせたが、男社会が優先する当時の世間では必死に母も戦っていた証左だ。母は二人の娘を夜叉となって守ったのだ。この回想は鬼気迫るものがある。その後の山本自身も若き日、別れた夫に娘を手放した経験があるだけにこの詩篇は二重に深い。

体験された時間の重層性（予見と予後）

山本の詩は一見、普通の日常が書かれているが、その目の奥には鏡面の奥へ奥へと入り込む時間の奥行きがある。「もうひとつの『あとがきにかえて』」でこう述べている。「書いたのは／一九八九年のわたしだ／けれども／まるで三十年後に書くであろう／わたしの詩を／先まわりして書いたかのようだ」これは山本の詩法を象徴的に言い当てている。どの詩篇にも遠い過去が現在のように、近い現在が遠い過去のように表現される。上掲の「母の戦い」はすでに半世紀以上前の出来事であるが、実に生々しい気配がある。三十年後のわたしを過去のわたしが書く。

この予見と予後の世界は「山本かずこ」という詩人全体を構成していて、存在そのものが一種の暗喩と化している。三十年、四十年、五十年以上の時間もまた詩にとっては一瞬であることを証明する。最初に取り上げた詩篇「筆山ホテル」は、私たちの奥処に眠っている危うい「罪深さ」を抉り出す。性欲だけの問題ではなく、男女間にある原始共同体的なもの（野性的なもの）は温和な家庭的社会からは排除される。野性の隠蔽なのだ。性の自由な開放性と家庭や家の制度とはどこかでちぐはぐなものを抱えもつが、性の自由な謳歌は楽園から追放されざるを得ないのだ。

詩篇「みえないこえは　きこえます」は徳島県那賀郡木頭村西宇へ帰った時の作品だが、このとき聞こえてきたのは八幡神社のかみさまの声だった。「ありがとう　ありがとう　たずねてくれてありがとう。」地霊の声とともに少女時代の自転車乗りが想起され、少女は「むぼう」にも何度も転び、血だらけの膝小僧となる。この「むぼう」が次の詩句を呼び起こす。「八幡神社のけいだいで／わたしのみじかい　りょうあしは／『むぼう』をしらないばっかりに／戦い…。／『むぼう』をしらないばっかりに／ちだらけになり……。／『むぼう』をしらないばっかりに／ひがくれて……。」まさにこれは大人の作者を地霊が幼い少女として呼び戻す声でもある。

詩篇「わたしの罪について〈懺悔の値打ちもない〉」には北原ミレイのヒット曲「懺悔の値打ちもない」（阿久悠作詞）が出てくる。そこに山本の人生と重なる切実な言葉がある。「あれは八月　暑い夜／すねて十九を　越えた頃／細いナイフを　光らせて／憎《にく》い男を　待っていた」

この歌には獄中に入る身になってしまった女性の愛憎が表現されているが、山本は自ら「その心の／打ち捨てかたまでもが／なぜか／すべて／わたしのものだ」と言い切っている。歌手の肉声にはその人物の人生がどうしようもなく滲んでしまう。歩んできた人生の哀歓がどうしようもなく表れる。声に絶対的な情報が含まれているように山本のことばにも抜き差しならない哀しみがひそんでいる。藤圭子の「夢は夜ひらく」（作詞石坂まさを）もまた、声に昭和の折り重なる時間が含まれているのも不思議ではないだろう。さらに都市空間にいても山本の時間を凝視する目は衰えない。

静かな詩集、対象を見据える眼力

蕎麦屋の「のれんの話」には「事件」は全く起こらないのだが、対象を見据える眼力によって空き地にかつての蕎麦屋が蘇る。その「のれん」を一度もくぐらなかった「わたし」。それは事件でもなければ、取り立てて不思議なことでもない。どこにでもある話だ。しかしなぜか読者はこの「話」に耳傾けたくなる。

あるひ
そとをあるくと
のれんごと
きえていた
さらちになって
あとかたもない

くるひも
くるひも
そばやだったから

そばをうっていたのだろう
そとをあるきながら
かんがえた
いちどものれんをくぐらなかった
（わたしについて）
（いちどぐらい　くぐればよかった）
とおもう
わたしについて
かんがえた

（「のれんの話」一部）

暖簾を「くぐらなかったわたし」と「くぐればよかったわたし」が交錯する。都市の変化はとても激しい。昨日まであった店舗がいつの間にか別の店に様変わり。そのようにあり得た自分とこのようにしかあり得なかった自分を考えるキッカケをこの「のれん」は生活の暗喩として伝えて来る。行間にある、たゆたいと逡巡はかすかだが、詩人の繊細な心の揺れを感じさせる。「そばやだったから／そばをうっていたのだろう」にはユーモアと同時にそのなりわいの残酷さも伝わってくる。「そとをあるくと／のれんごと／きえていた」から始まり、「とおもう／わたしについて／かんがえた」の最終行、「かんがえた」によって作品の奥行きは一気に広がるのだ。

　先に山本の詩の魅力は時間の重層性にあると述べたが、言葉の奥行きは単に技術的なものによって生まれたとは思われない。経験の重さが言葉に纏わりついているからだ。山本かずこの詩篇のことばは静かだが、存在を揺るがす時間の厚みとエロスが備わっているといえるだろう。静かな詩集、説得力のある詩群に圧倒されたというのが率直な感想だ。しかも一つ一つの詩篇のことばは魂あるもののように読者の心底に流れ込んでくる。岡田幸文の熱い眼差しが注がれたこの詩集の、十五年ぶりの出版を喜びたい。

二〇二〇年十月二十五日記

『恰も魂あるものの如く』
山本かずこ詩集
2020 年 9 月 23 日 ミッドナイト・プレス刊

三

岡田幸文と辻征夫　小沢信男

岡田幸文との出会いは、辻征夫との出会いに重なる。詩誌「詩学」の投稿詩選考の集いが二年で終わり、これきり辻とさよならの気にならず、やはり毎月出会うことにした。編集部員の岡田と、その連合いの山本かずこも交えて四人組で、向島百花園、浅草寺の非公開の庭園などをめぐり、喫茶店で語り合った。三十余年も前のことで委細は忘失ながら、幸文は、なにかまっすぐな気質の人とみえました。

そもそも征夫が、そんな気質だった。繊細な天性の詩人が、じつは歌謡曲「東京流れ者」が大好きで「流れ流れて東京をそぞろ歩きは軟派でも、心にゃ硬派の血が通う」「曲がりくねった道だって、こうと決めればまっすぐに」そのまま下町の兄貴分でした。

そのうち試しに俳句を作ろうと、辻がたちまち詩人の友達を呼び集めた。これがやがて余白句会となり、関西から多田道太郎がまざってくださるなど、それは楽しい会合とはなったが。

当初、やや意地悪い思いも私にありました。

この国の近代詩は、古来の定型詩を打ち破る闘いで成り立った。敗戦後の第二芸術論も、滔滔たる短歌や俳句を乗り越えてこそ現代芸術を、という待望ではあった。現代詩人が易々と俳句をひねったら、先人たちの闘いを忘れた一種の堕落ではないのかな。

やはり当初は抵抗もあるようでしたが、さすがは言葉使いの妙手たちだ。詩と俳句が四つ辻で衝突した趣きの辻征夫『俳諧辻詩集』を第一の成果に、メンバーが続々と句集を刊行し、俳壇との交流なども生じた。

その当初から、岡田幸文は、ぱたりと来なくなりました。おそらく自立して生涯の事業「ミッドナイトプレス」を立ち上げるべく、脇目は振れぬ状況でもあったろうが。彼こそは句会を拒否した唯一の、いや二人か。

その後も、ときおりの交流はあった。和光市のお宅を訪ねた記憶もある。何用だったかは忘れたが。そして、このたびの訃報です。

「ミッドナイトプレスWEB14号」の「あとがき」を読んで、おもわず微笑んだ。岡田幸文は毎朝、山本かずこのその日のスケジュールを訊ね、手帳に記していたそうな。それはそうだな、こんな一見おだやかな美人の才女を連合いに持ったら、四六時中気遣いたいではないですか。

そこで思い当たる。集いが句会へ転じたころに二人そろって消えたのは、ともに詩に殉じたかったから。この才女は、しゃれた五七五ぐらい忽ち作ってしまうだろう。そうはさせじ。日々のスケジュールを訊かずにはおれない。こうして岡田幸文は、詩を愛し、現代詩人たちと交流し、激励し、推奨し、生涯を詩神に殉じた。こうと決めればまっすぐに、辻征夫とも、すぐに出会ったことでしょう。

なお余白句会は、辻征夫、多田道太郎が逝き、私も退いたが、いまもにぎやかに続いている由です。

なお、もうひとつ付け加えよう。さきごろ刊行の幸文の詩集『そして君と歩いていく』の表題は、六音六音だが七五調をあえて踏み外しているのだな。その気配は、詩集の全体にうかがえる。「京都4」などは「僕は歩いた／ただひとり／僕は歩いた／あてもなく」と押しまくってさえいる。この国の言語表現にひそむ七音五音の底力。散文的な現代詩を改行してゆく所以のひとつでしょう。

山本かずこ詩集『恰も魂あるものの如く』にも、おなじ気配をおぼえます。詩に殉じるお二人よ。

岡田幸文と良寛——詩集『そして君と歩いていく』にそって——　八木幹夫

人は死ぬとどこへ消え去るのだろうか。この問いは永遠の謎だ。親しい人が亡くなると、あのことも、このことも聞いておきたかったという悔いが起こる。でも、これは生きている者の迷いかもしれない。一八二八年十二月十八日、新潟県三条市付近で大地震（三条大地震）が起こった。今から二百年程前のことだ。死者は一、五〇〇名を超えたという。幼馴染で再従弟の山田杜皐《とこう》が心配して手紙をだすと、良寛はこう返信した。「地《ぢ》しんは信《まこと》に大変《たいへん》に候《さうらふ》。野僧草庵《やそうさうあん》ハ何事《なにごと》なく、親《しん》るい中《ぢゆう》、死人《しにん》もなく、めで度存《たくぞんじ》候《さうらふ》。／　うちつけに　しなばしなずて　ながらへて　か丶るうきめを　見るがはび《（わ）》しさ」と和歌をしたためた。いきなり死んでしまえたなら苦しむこともなかっただろうに永らえたばかりにこんな苦しい思いをする、わびしいことだ。歌意は生き残った者への同情を示す。しかし、この後に続く内容は、相手の理解を超えかけている。「災難《さいなん》に逢《あふ》時節《じせつ》には、災難《さいなん》に逢《あふ》がよく候《さうらふ》。死《し》ぬ時《じ》節《せつ》には、死《し》ぬがよく候《さうらふ》。是《これ》ハこれ災難《さいなん》をのがる丶妙法《めうはふ》にて候《さうらふ》。かしこ。」（『定本　良寛全集　第三巻』書簡集　中央公論新社　二〇〇七年）　山田杜皐はこの時、地震で我が子を失っている。良寛七十一歳の時の手紙。この深い洞察は親しい幼馴染に届いただろうか。天変地異の災いに逢う時節には逢うがよく、死ぬ時節には死ぬがよい。これが災難からのがれる最もいい方法（妙法）なのだ。現代人からすれば、驚きの返信だ。良寛は他者に向かって冷酷な断言をしているように見えるが、あふれる思いを断ち切るために言うのだ。それが災難から逃れる妙法だと幼馴染の友人に言ったのだ。このエピソードは今でも私の胸を突く。

演奏会の終わり、交響曲やシンセサイザーやピアノやギターやパーカッションの音が止んで、歓声と拍手が起こり、薄暗がりから帰っていく人々。照明がついて、席を立ち去りかねて瞑目する人々。ざわめきからしんとなった会場。今まで視界の中心でスポットライトを浴びた演奏者や楽器の音。それがぴたりと人も音楽もきえてしまった。人生の終了が近づいている。そんな感慨がある。ここ数年近しい人々が次々に亡くなり、間違いなく「その日」が近づいてきた。それを知らせる兆かもしれない。かもしれないが、自分にはまだ「その日」がやってこない。人の死、他者の死ばかりが周辺でざわめいている。

ミッドナイト・プレスの山羊塾（講演）や山羊散歩で文学的な同行者として付き添ってくれた編集長岡田幸文の死。彼には色々なことを聞いてみたかった。一九八〇年代後半のこと。詩学社を辞して彼が新しくミッドナイト・プレスを起こした頃だった。余白句会の前身、オールド・ステーションの仲間たちで小旅行が企画された。中上哲夫、辻征夫、井川博年、岡田幸文、山本かずこ、私の六人で、三浦半島の三崎へ。目的は一泊二日で詩の合評会（当日六人が自作詩を持ち寄り、合評）。後日、私は創刊号にして廃刊号「オールド・ステーション一号」の編集長としてこの時の小旅行兼合評を一冊の同人誌にまとめた。（現在は紛失して見当たらない。）その日は埠頭で中上哲夫が釣りあげた毒オコゼに指を刺されたり、辻征夫が現代詩の時代物を発表したり。愉快な合評会は延々、深夜にまで及んだ。翌日は三崎港の周辺を散策した。俄雨が来て海辺の小高いところに立つ漁師小屋に駆け込んだ。海を見下ろす小屋は雨宿りには格好の場所。「世捨人みたいだなあ」と岡田。すかさず、「世に捨てられたんじゃないの」ちゃちゃが入る。途端に一斉に笑った。彼も明るい甲高い声で笑った。当時、偶然ではあるが、彼は「大愚良寛」に関心を持っていたらしい。詩学社社主との間に生じた編集長としての葛藤と軋轢。彼にとってこの退社は相当こたえたのではないか。人間同士の辛辣な駆け引きにウンザリしたかもしれない。少しも愚痴めいたことを洩らす人ではなかった。詩を人生の中心において生きる基本から迷走した「生き方」と「詩のあり方」。それがずれてしまうことへの怖れ。良寛への傾斜は必然的でもあった。その後の編集者としての活動は精力的かつ画期的だった。(「詩の新聞」「詩の雑誌」「midnight press web」等)

二〇一九年十二月九日に彼が亡くなった時、私は生死の道理があるとはいえ、残念でならなかった。あの恥じらいを含んだ病院での笑顔や涙が粒子のように雲散霧消してしまった。死は厳然とそこに在る。在るというより空虚があるというべきか。無だけが在る。この「無」とは一体なんなのか。すべてが中途半端ではないか。

その思いを込めて「浮間舟渡の午後」(二〇二〇年三月号現代詩手帖)という追悼詩を書いた。火葬が終わって帰路、荒川土手を細長く連なって歩く弔問者たちの姿。ここにいる人、いない人、すべてが編集者岡田に表現者としての場をあたえられた人々なのだ。今度の詩集にも「土堤の論理」が書かれていたことを後で知った。さらに伴侶山本かずこからの電話で「鴨長明の『ゆくかわのながれはたえずして……』の部分ですが、岡田が長明ゆかりの京都下鴨神社の境内で遊んで育ったことを知っておられたのですか。」と訊かれて静かな驚きを覚えた。生前の彼はしばしば、シンクロニシティ（意味のある偶然の一致、同時性、同時発生）を問題にしたように、無意識のままに彼を通して鴨長明を呼び寄せてしまったらしい。晩年の彼が川へのシンパシーを色々な作品で示し、良寛への言及を再燃させたことにも同じ作用を覚えるのだ。

実は私もまた、良寛には高校時代から関心があった。父の実弟の叔父から良寛の生き方や書や漢詩をよく見聞きしていたからだ。叔父はしばしば休みになると東京からぶらりと相模原にやってきた。それから信州まで足をのばした。美術の教師でもあり、道祖神に興味をもち、路傍の地蔵や双神仏などを写生した。叔父には少年時代の屈折があり、思春期まで私の父とは親戚ではあっても実の兄弟であることを知らずに育った。父方の親戚に生後すぐに養子に出されたためだ。高校生の私に自分の生い立ちを率直に語った。戦争を経験し、戦中子供たちを戦場に駆り立てた責任を受け止め、管理職試験を受けることなく平の教員を通した。何よりも子供が好きな人で、乞われれば即座にユーモラスな線描で絵を描く人気の先生だった。

この里に　手毬つきつつ　子供らと　あそぶ春日は　暮れずともよし

良寛の生い立ちの屈折（十八歳で出家、三十八歳の時、名家の名主だった父、以南が京都桂川で入水自殺）等が叔父と重なる部分があったのだろうか。小林一茶も好きで、その童心と我執の強い性格に興味があると言っていた。叔父は生前（五十三歳で病死）頻繁に信州を旅した。国上山（くがみやま）の五合庵から佐渡の方まで行ったこともあった。良寛のおおらかさや子供と手毬をついて日が暮れるまで遊ぶ姿。僧侶の安定した地位を求めず、ひっそりと清貧に甘んじ、書を残した姿。そこに叔父は共感したという。一茶の門下として良寛の父、以南が俳句を嗜んでいたことも興味深い。

日本詩人選20の唐木順三著『良寛』（筑摩書房一九七一年）と吉本隆明著『良寛』（春秋社一九九二年）はながく読み返してきた愛読書だが、岡田幸文とは一度もそのことを話したことがなかった。不思議と言えば不思議だ。吉本は良寛をこう評している。「托鉢の途中で手毬をつき子どもと遊ぶ良寛も、詩文を作り墨書する良寛も、緊張と弛緩のあいだの均衡の姿であって、弛緩のあらわれとは到底おもわれない。わたしの推測では良寛の均衡した姿勢は、一見すると放縦なようで実は厳密だった僧侶としての規範からきているとおもえる。」（『良寛』序文一部）この「放縦と厳密」は良寛にいつもつきまとうわかりにくさでもある。道元禅を基盤としつつも、坊主臭い説教、説法をしない。寺を構え、門弟を作らない。仏法の布教をするわけでもない。「己れは僧に似て僧に非ず、沙門ながら沙門に非ず」を貫く姿勢を保ち続けた。岡田幸文が晩年（こういうのも変だが）、「良寛」の漢詩文や「生き方」を探り始めたのはその辺にあったのではなかろうか。次の一篇の詩は岡田の心を流れる良寛の思想と通い合うものだ。

蟬の、別れの

蟬が啼いている
いつから啼いているのだろう
いつやむともしれず啼いている

ところで　蟬が啼いているのは
泉川のほとりではない
頭のなかで啼いていたのだ

蟬は英語でなんというのだろう
蟬が蟬でなくなるとき
蟬は啼きやむにちがいない
だがいま蟬は蟬のままに啼きつづけている

ふっと蟬が啼きやむ
蟬はいなくなったのか

いや蟬はなおそこで啼いていた
泉川のほとりで

（「蟬の、別れの」全行）

これは道元禅師をくぐり、良寛が岡田を媒体として書いた現代詩ともいえそうな作品だ。道元は「文筆詩歌など詮なきなり　捨つべき道理云うに及ばず」として詩歌文芸の類を排した。岡田は蟬が啼いていることを感傷的に歌っているのではない。「いつから啼いているのだろう」現世からなのか。来世からの声か。「いつやむともしれず」永遠に啼いている。「ところで」と、ここでいったん、切り返しの断定。さらには「頭の中で啼いていた」という覚醒。さて、この泉川とはどこなのか。これは先程ふれた鴨長明のいた京都下鴨神社。その近くを流れる清流「いずみがわ」のこと。厳密にいえば、岡田自身が幼少期をおくった故郷の川。どうして唐突に幼い頃過ごした泉川で啼く蟬の声が聴こえてきたのか。岡田の詩はここで、良寛がとらえ、感じていた時空の声を聴きとろうとする。現実的な空間の特定が必要なわけではない。良寛でいえば、次の漢詩文を想起するといい。

寒炉深撥灰
孤燈更不明
寂寞過半夜
只聞遠渓声

寒炉深く灰を撥《はら》う
孤燈更に明らかならず
寂寞《じゃくまく》として半夜を過ぎ
只《ただ》聞く遠渓《えんけい》の声

国上山の五合庵（夜の、厳寒の）という空間（小宇宙）からの離脱。遠く渓谷の底の方から聞こえてくる水の音。深夜の寒々とした五合庵の茅屋に去来するものは道元とは異なる世界だ。形定まらぬ詩歌だが、ここに岡田も同様の世界を見ている。良寛は漢詩そのもので自分の窮状を嘆いているのではない。自足しつつ、何度も自然（宇宙）と融合することを問うている。もちろん、韻律を踏んだ名文を残そうとしているのでもない。否定の積み重ねによって向こう側へ（どこからどこへ）抜け出せるものか。記述そのもの、良寛でいえば、漢詩文の書記そのものの中に希求するものの本体がある。

岡田のこの詩（真昼の、真夏の）を読んでいると禅の厳密な問いに応じる姿が現れている。「蟬が蟬でなくなるとき／蟬は啼きやむにちがいない／だがいま蟬は蟬のままに啼きつづけている」これは存在論を書記することで、読者とみずからに不在と存在を問い直す。蟬を人に置き換えてみるとわかりやすい。蟬（人）が蟬（人）の姿を保ち、ここに存在するとはどういうことか。「ふっと蟬が啼きやむ」。蟬がこの世からその存在を消したとき、蟬はいなくなったのか。ここで岡田は予測不能な発見をしてしまう。「いや蟬はなおそこで啼いていた／泉川のほとりで」

「そこ」とは何処なのか。すでに最終行で示される「泉川」とは現実的な空間ではない。それは京都鴨川の泉川ではなく、「いずみがわ」という宇宙的な清流というべきだろう。この作品を何度も読んでいると岡田が歩み、突き抜けようとした意思を激しく感じる。詩集の20頁にある作品「京都4」を読んでみよう。歩行を象徴する作品だが、通常の歩行ではない。

（前半略）
僕は歩いた
弥勒の顔を思い出し
僕は歩いた
笛に誘われ
僕は歩いた
わけもなく
僕は歩いた
僕を歩いて
僕は歩いた
僕が歩いて
僕は歩いた（「京都　4」後半部分）

この歩行は突然、暗喩とも換喩ともいえない、不思議な迷路へと誘い込む。「僕を歩いて」という表現の扉に読者が手をかけた途端、異次元の世界を開けてしまうのだ。「僕が僕を歩く」とはどういうことか。「僕が歩いて僕は歩いた」とはどういう時制や一人称のねじれを生きてきたということなのか。格助詞、助詞の使い方が奇妙に感じられるが、この時、主格であるはずの「僕」は目的の対象となる。「僕を歩く」とは他でもない「自分自身」を真率に見つめることを意味している。二重写しになる「自己」を歩きつつ自分を新たに発見するという激しい自己追求。名辞矛盾でありながら非常に深い哲学が孕まれている。ここでは「僕」という一人称が私性から離脱する。

良寛もまた一見、日常の子どもたちと遊び呆ける姿を見せるが、岡田は良寛の逆説的な表現に関心を持ったのだ。二〇一八年一月から個人誌として始めた「冬に花を探し、夏に雪を探せ。」は良寛の漢詩からとっている。字面だけを追うと道元の和歌「春は花夏ほととぎす秋は月冬雪さえて冷《すず》しかりけり」を連想するが、さらに突っ込んでいえば、良寛は自然の理《ことわり》を道元のように戒律として修行する道を選ばなかった。

もちろん初期の良寛は道元を信奉する曹洞宗国仙和尚に教えを請い、十二年を経て印可を授かるが、国仙亡きあとは地方を放浪する。僧院で僧侶としての地位基盤を固めず、布教もせず、時の権力におもねることなく、生計の道を断った。良寛は謎のまま、その漢詩文を残していると言ってもいい。ただし同時代の僧籍にある僧侶には辛辣な痛罵を加えている。悟達したといって、一般の人々に迎合する生き方や教え方は本来の仏道修行ではないと。手毬で子供と遊ぶ良寛の姿はよくみると謎の暗号を解くようなものだ。良寛をしたう若き貞心尼に贈った晩年の和歌「つきて見よひふみよいむなやこゝのとをとをとをさめてまたはじまるを」。毬をつき、十回目まで数えてみるとまた十回。終わりが来れば、また一にもどり十まで。遊び（仏法を学ぶことも）は尽きることがない。子供はそのように天真爛漫なものだ。大人も男も女も関係なく、毬そのものになって、子供そのものになってひたすら毬をつくことの中に全ての真理がある。それ、迷いが生じたなら、ついてみなさい。すると十回で終わり、また最初にもどる。「ただ、これ、これなのだ」（祇這是）と表現している。仏法の真理とはこの行為そのものの中にある。そういっている。岡田の詩にもいつも謎が付きまとう。謎ではあるけれども韜晦しようとしているのではない。次の詩にある「到着は無意味だ」という詩句は彼の「歩行そのもの」が到達を目的とはしていない証だ。

歌降町

私は歩いている。
私はひとり歩いている、
誰も歩いていない午下がりの歌降町《うたふりまち》を。
歩くことからしか始められなかったから
私はいつも歩いている。
到着は無意味だ。
だから、今日も私は、
改行するように、

その小さな曲がり角を左に曲がって
抜寺町《ぬけでらまち》のほうへと足を向ける。(「歌降町」一部)

岡田幸文の詩を読みつつ、良寛との接点を探ろうとしたが、舌足らずの論になった。
良寛が七十四歳(一八三一年)で没する際、辞世とした歌
形見とて　何か残さむ　春は花　山ほととぎす　秋はもみぢ葉
ここには若き日に国仙和尚から学んだ道元禅への返事が含まれている。
また次の辞世の俳句も詩歌の中に真理を求め続けた良寛の姿が軽やかに浮かんでくる。
岡田幸文の手向けとしたい。
うらを見せ　おもてを見せて　散るもみぢ　　良寛

参考文献
唐木順三『日本詩人選20　良寛』筑摩書房
吉本隆明『良寛』春秋社
『定本 良寛全集 第三巻　書簡集』中央公論新社

夢は途切れない　清水鱗造

僕が詩を書く人としての岡田幸文さんを意識したのは、一九七〇年代の半ばだったと思う。雑誌『詩学』に投稿を始めたころだった。岡田さんも投稿していて、作品をよく目にしていた。全ページを投稿された詩のために使った号があって、そのときの岡田さんのたしか《その日は太陽の誕生日だった》という行を含む作品の印象を今でも覚えている。『詩学』のこの号を捜してみたが見つからなかった。その代わり一九七四年七月号の投稿欄〝研究作品〟の最初に岡田さんの〈廃墟にて〉が載っているのを確認した。また一九七八年三月号の「推薦詩人集」という特集で望月昶孝が選んだ詩人の作品として〈最後の唄〉が載っている。投稿欄では当時の編集長・嵯峨信之の岡田さんを特に推している発言も目立った。掲載候補者の一覧表のなかには妻や僕の名前もあり、その後知人になった四人の作者の名前もあるので懐かしい。

実際に岡田さんと会うことになったのは、何人かの詩人と親しく交流するようになり同人雑誌などを出したりして僕なりの活動を始めた後になる。僕の場合には、同じ詩を書いていることから始まる交流が、二十代前半の何かを探し求める気持ちにとても明るい光を与えてくれたように感じる。『現代詩手帖』の投稿欄から知り合って、同時期に投稿していた浦辺明彦（若井信栄）、瀬尾育生と高田馬場駅で会ったとき、それこそ「その日は太陽の誕生日だった」という感じでうきうきした気持ちになったことを覚えている。『詩学』もその後とても親しい詩誌になったが、投稿欄の背後に「詩学研究会」という定期的に開かれる会合があることが『現代詩手帖』とは少し違っていた。詩を書く人たちの裾野までよく面倒を見ているというところが『詩学』にはあった。

岡田さんとの交流の始まりは『詩学』一九八七年二月号に「書いてくれ」という編集者として連絡があったときだったかもしれない。そのときは〈都市の詩人〉という題の鮎川信夫についての短い批評を書いた。『詩学』という詩誌の編集者としての岡田さんが、僕を見ていてくれたことをありがたく感じた。

詩を書いた原稿料を生活費に充てることはほとんどできないが、書くことが自分を生き生きとさせる何物かであると思ったときに、それは自分の生に深く入ってくる。だから同時期に投稿していて編集者になった岡田さんと、書き手としての僕は可逆的な立場だ。僕が編集者になっていたとしたら、岡田さんに作品を頼む可能性は高い。こういう出会いが延長されていくことは小説やそのほかの表現でも言えると思う。

表現している人は意識的にも無意識的にも、なんとかそれを生活に結びつけたいと考えている。しかし、そのうちに書くことの場所は生活とは少し違うところにあることに気づく。でも岡田さんも僕も、なるべく生活に接近するように、表現を行っていこうと常に闘っていたのだと思う。

岡田さんが編集者を辞めてからも含めて『詩学』には、その後、詩作品二編を含めて数回書く機会があった。（しかし『詩学』は二〇〇七年九月に休刊し、詩学社は十月に倒産、廃業した。）

さらに、気心を知ればみんなで楽しむということになるのが自然の流れで、岡田さんが『ミッドナイト・プレス』の編集者になってからは、彼が一緒に雑誌の雰囲気を作ってきた人たちとの交流にかかわっていった。ぼくも彼の詩にも出てくるバー「シルク」などで話したりすることもあったが、たぶん僕よりもよく付き合っていた方はたくさんいたと思う。そのころ岡田さんはイベント好きだな、と思ったことがある。想像するに、彼は食い扶持を稼ぎながら詩人たちとのかかわりに時間を投入して、『ミッドナイト・プレス』も自費出版などを複合的に絡めて、できたら稼ぐ詩誌にしたいと考えていたのではないかと思う。岡田さんのこの感じの生き方に沿って、詩人の付き合いの空間が制作者のグループも含めて醸成されていった。

僕はそのころからパソコン趣味がかなり高じていて、インターネットに興味を持っていた。その関係で『ミッドナイト・プレス』（二〇〇〇年夏号）誌上で、早くからウェブで活動を始めていた鈴木志郎康さん、清水哲男さんと鼎談したことがあった。僕が自宅のパソコンで運営しているウェブサイトを通じてのお付き合いからお二人とは年に一度ぐらいは会うようになる。この鼎談は別にして、手元にあるだけで『ミッドナイト・プレス』には五回寄稿したことがあった。これらは自分の批評集に入れて、公開したいと思っている。このような具合に、彼はほかの書き手の人たちのそれぞれの展開を持続させる役割を果たしてきたのではないかと思う。『ミッドナイト・プレス』のような家族的な雑誌は、無意識に一期一会を大事にするような気持ちを促す。

思い出すことを挙げると、岡田さんが谷川俊太郎と高橋治の本を推薦して「これを読むといいと思うよ」と言ってきたことがその一つだ。素直に買って読んだ後に、「読みましたよ」と言ったらわざわざその本の代金を送ってきてくれた。なにか狐につままれたような感じではあったが、このやり取りをよく覚えている。『詩学』は原稿料なしの雑誌だったが、『ミッドナイト・プレス』は原稿料も払ってくれた。

岡田さんは奥さん（山本かずこ）や制作者グループと共に盛んに詩集を作る仕事もしていたが、吉本隆明の『なぜ、猫とつきあうのか』（一九九五年三月、後に増補されて講談社学術文庫の一冊になった）などの企画本も刊行していた。また『ミッドナイト・プレス』に詩人・飯島耕一が珍しく連載した小説『白紵歌』（二〇〇五年七月）については、僕はたまたま書評を書いたりした（「週刊読書人」二〇〇五年九月九日号）。ほかにも、岡田さんたちグループが手がけた本には重要なものがあると思われる。

岡田さんが亡くなったことはとても残念だが、現在、ウェブ版の『ミッドナイト・プレス』も続いているし、新たに詩集や書籍が出版されていくのだと思う。岡田幸文さんの夢は途切れたわけではない。

岡田さんの作っていった弁当
宛てた人によって中身は

少しずつ違うらしい
それを開くときがきた
でも弁当箱全体が
表現作品になっている
食べ終わると
弁当箱型の乗り物に変化して
音もなく高速度で
ビルの間に染み込んでいった

岡田幸文さんを偲んで　川岸則夫

幸文さんが亡くなわれてしまった。突然のことだったので心底驚いている。亡くなる直前まで、結構手紙の遣り取りなどしていたので、なおさらだ。悲しみを表す言葉やお悔やみを言う言葉は種々あるだろうが、詩に生涯全身で携わった幸文さんを偲んで、ここでは書く機会を得させて頂いた幸文さんの詩集評を二つ取り上げさせて頂くことにする。彼は他人の詩を発掘・評価することに多くかまけて、自らの詩は謙遜の故か発表することのあまり多くはなかった詩人なので、彼の詩について書かれた文章を目にする機会はそれほど多くはないようだ。従って、彼の詩についての拙稿が多少なりとも、これから彼の詩を読む人の何らかの役に立つやも知れぬと、恥ずかしながらここに掲げさせて頂くことにした。

初めの『そして君と歩いていく』評は詩誌『詩的現代』（オ二次）の詩集評として、次の『アフターダンス』評は、当該詩集の栞文として書く機会を頂いたものです。後者はかなり古いものですが、敢えてここに再掲載させて頂きます。両者とも初出に多少手を加えてあります。

岡田幸文『そして君と歩いていく』（ミッドナイト・プレス）は、悲しい事だが、遺稿詩集ということになるのだろうか。彼の急逝は余りに突然だったので、何だかいまだに信じられないような気がする。評者も岡田さんには、並々ならぬお世話になり、その恩も満足に返せないままにこの拙文を綴っていることになる。世話好きだった岡田さんの事、多くの人がそのような思いでいるのではないだろうか。

この詩集は、彼の第三詩集になるということだ。そういえば、評者は第二詩集『アフターダンス』の栞文を書かせてもらったことがある。本当に昔のことだ。それ以降自ら詩集を出していなかったとすれば、余程、詩集というものに対して、己に厳しく期するものがあったのだろう。そういえば、亡くなる前の電話で、何かの話から評者が「眼高手低」とか言った時、その言葉に強く拘るような様子を見せたことを記憶している。彼は、決して「眼高手低」どころではない。この詩集を読むと、お世辞でなく「眼高手高」ではないかと思えてくる。室生犀星が萩原朔太郎『純情小曲集』の序文に書いた「いい詩をかいて永い間世に出さなかったものだと、無関心で、無頓着げなかれの性分の中にある奥床しさをかんじた」という言葉を思い出す。

地獄だ／懶惰な賭博に明け暮れて／敗北だけが戯れではなくなる／水の揺れがいっさいの始まりであったとき／この世の果てはどこにあったのだろう／たどりついた汀で／さびしく酔ってダンスをすれば／葦が揺れる／私も揺れる／においたつ春の夕べ／明るい歌が過ぎていく

（「春歌1」全）

「地獄だ」とは、かの国のあの少年詩人の余韻だろうか。少年詩人のように彼もまた「地獄」からの脱出を図ろうとするのだろうか。どこか遠い所へ行こうとするのだろうか。「この世の果てはどこにあったのだろう／たどりついた汀で」「さびしく酔ってダンスをすれば」、どこへ行き着いても世界は中々定まらない。だが、最後に「においたつ春の夕べ」に「明るい歌が過ぎていく」と結ばれるのが救いだ。まさに岡田幸文の「春」の「歌」だ。かの少年詩人の救いはわが国の古来の歌のように「あけぼの」だが、岡田の「春」は「においたつ」「夕べ」なのだ。ここでは「地獄」も優しい。やがて訪れる静かであろう夜が待っている。

僕らは歩いた／肩をならべて／久し振りに／一本の真直ぐな道を／／こんなに近くに／こんなに遠いところがあった／とは／／僕らはお互いの無知を笑いながら／もっと大きなことについて笑っている／自動販売機の缶ジュースを飲みほす／かつては子供だったのだ／／路上に何もみえないことがこころよい／すべては心のままだ／心のままに　僕らは

（「僕らは歩いた」全）

活き活きとしたとても「真直ぐな」「大きな」詩だ。彼の「路上派」としての面目躍如たるとても素敵な詩だ。このおおらかさ（それはもちろん「僕らはお互いの無知を笑いながら／もっと大きなことについて笑っている」のような鋭い洞察を秘めている「おおらかさ」でもあるが）は、「すべては心のままだ」という希望、願望へと一直線に続いている。この衒いのなさが何とも心良い。いずれにしろ私達は皆「かつては子供だったのだ」。「心のままに　僕らは」でこの詩が突然終わってしまうのが少し気になるが、「路上に何もみえないことがこころよい」。本当に「すべては心のまま」なのだ。岡田幸文のこの大らかさ、屈託のない笑顔が覗けるだけでも、嬉しい詩だ。

待つことだけで暮れていく／やくたいもない一日／夜がとけていく／記録されないままに／／虫に食われた／虫に食わせた文字の累々たるを踏みつけて／夜の窓に浮かぶ直視の瞳／／アポリネールの諦念と再生とを思い出そう／何が欠け／何が過剰だったかを／／広場では今日もまた旅立つ人たちが行き交っている／ここで記録されるものはなにもないだろう／記憶されるものもまた……／やくたいもなく甘美な一日の終わりだ

（「思い出」全）

「やくたいもない一日」。時には、誰ともなく、何処ともなく向けられる男っぽい、このような秘めたる憤りもあったのだろう。だが表には出さず、いつもこちらに気を回してくれた。一方で「何が欠け／何が過剰だったかを」常に点検する冷静さを備えた人でもあった。だが、人の一生がたとえ差し引きゼロであったとしても、必ず残るものがある。それは一生かかってやり遂げた仕事か、詩人としての作品か。だがそれを「やくたいもなく」だが「甘美な一日」とサラリと言い切れる彼の度量の広さ。そして「ここで記録されるものはなにもないだろう／記憶されるものもまた……」という謙遜。いやそんなことはあり得ない。彼と出会えた人は皆しっかりと記憶しているはずだ。彼の詩を、その人となりを。

この詩集の後半には、最近書かれた「哲学的」な面（東洋哲学と言ったほうが良いだろうか）が前面に出された佳篇が並んでいる。東洋哲学を専攻したとかいう彼の一面を垣間見せる貴重な詩群だ。「時評」というスペースの関係で紹介することができないのが残念であるが。

出来得れば、せめてこの詩集を肴にして、一献傾けたかった、と思う。いつも笑顔の彼は、その時、どんな特別な笑顔を向けてくれるだろうか。

（「詩的現代」〈第二次〉36号所収）

「唄の行方」――岡田幸文詩集『アフターダンス』を読んで

岡田幸文は第一詩集『あなたと肩をならべて』以来、一貫して唄うという姿勢を手離さないでいる。それ故、彼の詩は一見単純そうに見えるかもしれない。だがそう見えるそのことこそが、人間の感情や思想などというものは、唄うという行為を通してみれば、それほど複雑なものでも難解なものでもない、ということを証してもいるのである。試みに彼の詩の任意の詩行を追ってみよう。そこで読者は、決して難解ではないが容易には解きほぐすことのできない感情の襞に、易しくさりげなく唄われてはいるが、意外にふくらみを持った彼の詩想に出会うことになるだろう。

曖昧な仕事を曖昧に終える
東武東上線の各駅停車に乗ると
（順接はいつだって曖昧で
逃れようとすればするほど）
私は旅人だった

この巻頭詩の冒頭部分を見ても、一読して作者の狙いを読み取れるほど単純に書かれている訳ではない。曖昧な仕事→各駅停車→旅人という、作者の生き方や考え方を表現する言葉が車窓風景のように展開するが、それらが「曖昧」な「順接」という抽象語で括られるとき、単律な唄の方向に流されず、かといって無粋な単なる信念開陳の詩にもならずに、各駅停車のゆったりとした揺れに心地よく、一つ一つの駅を通過する毎に、それらの言葉は少しずつ表情を変え、確実に含蓄あるものになってゆくのだ。

肉体や精神が亡び去った後でも唄（詩）は残るという思いがこの作者にはある。「僕の言葉は／「僕」を超え／起承転結を超え／／踊りつづけていくだろう／君と僕とがあの朝見た／青い空のなかへ」（「執着もなく」部分）、「（リアルなものは何もなく／イマジナリーなものはさらになく）／／そして／歌が残される」（「歌いながら」部分）。いったい岡田幸文の歌は「リアルなもの」でもなく「イマジナリーなもの」でもないのだろうか。

教室の前にかかげられていた（はず）の五十音図だけが
東武東上線に揺られる私を慰撫する

がんじがらめの浮世のしがらみを持った言葉よりも、いっそ何の意味もまだ持っていない五十音図のほうがよほど清々しい。だがそのことは、詩は唄は、バラバラの五十音図からその都度新たに組み立て直さなければならない、ということをも意味するのだ。そこからこそ、新たな「リアルな」歌が「イマジナリーな」唄が誕生するのだ。言葉をギリギリのところまで探る事、それは多大な忍耐と修練を容赦なく作者に要求することでもあるだろう。そしてそのことを一番よくわきまえているのは他ならぬ作者自身なのだ。

愛の詩人、岡田幸文　根本　明

岡田幸文さんと知り合ったのは四十五年ほど前、当時の彼の属していた同人誌の若い仲間の集まりにたまたま顔を出したときだ。互いに二十代だったが、私はとっくに仕事をしていて、彼はまだ東大在学中ということで随分若く、相当年下に思えた。

どのように彼と親しくなっていったのかは憶えていないが、当時は朗読会や出版記念会が頻繁に開催されており、中上哲夫さん、天野茂典さん、八木忠栄さん、直井和夫さんなどを中心とした路上派とも呼ばれる人たちの活動に参加することで付き合いを深めていったのだったか。

彼の「詩学」編集への参画と退社、ミッドナイト・プレスの新聞・雑誌の創刊などを近くで見てきた。また吉田文憲さんが主宰した『言語にとって美とは何か』の勉強会を澤口信治さん、川岸則夫さんを含めた五人で三年ほど、互いの家を回りながら行った。さらに詩誌『ｎ２００１』を石関善治郎さん、五月女素夫さん、山本かずこさんらと14号まで共に刊行し続けた。私にはかけがえのない友人でありつづけた。

岡田幸文さんは〈愛の詩人〉である。第一詩集『あなたと肩をならべて』に始まり、遺稿詩集を『そして君と歩いていく』と山本かずこさんが名づけたのは、岡田に対する変わらぬ愛の表明であり、詩人岡田幸文を私的に自らのもとに置いておきたいという切ない願いだろう。山本かずこという詩人も愛の詩人であり、このふたりの詩人の重なりには眩暈を覚えざるを得ない。
岡田さんは見事に愛を中心にして書いてきた。『そして君と歩いていく』には絶えず愛する者が現れ同伴している。

夕方になったら
僕の好きなワインを持って
和子がガレージにやってくる
僕が和子に聴かせるだろう
二十年以上昔に流行った歌を
すると
「私も歌う」
そう言って和子は歌い始める
（「一九九二年のリバー・ガレージ・ギグ」部分）

詩集では最も長く、熱情の込められた詩だ。直接的な言葉を使い実景を好んだ人だけに、こうしたシーンが実際にあったのだろう。次に収められた「マダム・シルクのブラームス」にもさまざまな曲を聴くところが出てくるが、岡田さんのビートルズを始めとした音楽好きは強烈で、詩の多くに顕在化し、また底を流れている。

ところでこの引用作品は瀬沼孝彰の個人詩誌「ガレージ・ランド」の一号に掲載されたものだという。同誌掲載の詩は詩集に計四篇。岡田さんと瀬沼の詩人として、人間としての共鳴が大きかったことが改めて思い起こされる。

瀬沼孝彰について知る人は少なくなっているだろうが、詩集『小田さんの家』、『ミッドナイト・クルージング』、遺稿詩集『夢の家』などをもつ詩人だ。他者と共鳴する独自の世界を持った詩人で、闇のエネルギーとでもいえるような言葉の波形が多くの人を引き付けた。私の属する詩誌「HOTEL」の創立メンバーの一人で親しい友人だったが、一九九六年、四十二歳で交通事故死した。『詩の新聞　ミッドナイト・プレス』のその時の編集後記での岡田さんの追悼文を読み直し、当時の衝撃の大きさと悲しみを思い出した。もう二十五年も経ったのだ。

瀬沼の詩集名に〈ミッドナイト〉の語が使われているのは偶然ではないだろう。二人を通底し共鳴する感情の形があったということだ。またこの詩集には「川」が頻出する。詩「どこへ」「京都４」引用した「一九九二年の――」「速度の思考」「川の思い出」「川に沿うて」等々だ。

川が流れている
川の流れている速度が

川と並んで歩いている私の速度が
かなしい
この川は親しいものだろうか
書かれるものは親しいものだろうか

（「速度の思考」部分）

瀬沼孝彰は八王子の浅川が原郷で、作品にやはり川が流れる詩人だった。岡田さんが育った場所にどのように川が存在したかは分からないが、中流域から河口近くの風景が幼・少年期に大きな影響を与えていたかもしれず、瀬沼と通い合うものの一つだった。と想像してみたい。

遺稿詩集を読んで岡田幸文を最後の路上派詩人と呼ぶことも、多くの文章を読んで優れた詩人編集者と呼ぶこともできる。岡田さんは〈同時代〉という言葉を好んで使ったが、他者の詩に暖かなまなざしを寄せ、詩を原理的に思考できる特別な人だったと思う。個人詩誌「冬に花を探し、夏に雪を探せ。」の作品群が詩集の最後を占めているが、岡田さんが生を閉じるまで詩と格闘していたこと、さらに哲学的原点に立ち返ろうとしていたことが分かる。彼は最期まで詩人として生きたのだ。

先に触れた瀬沼追悼文には、山本かずこさんの文章がつづき、瀬沼が心のきれいな人だった、と書いている。まったくその通りだが、岡田幸文さんもまた穢れのなさにおいて稀有な人だったと思う。

幸文さん、ご苦労さん　正津 勉

二〇一九年一二月一四日、浮間舟渡。岡田幸文葬儀。無宗教の式次第。ジョン・レノンが流れつづける。とても良かった。素晴らしく心洗われた。わたしは頭を垂れて瞼にしていた。

一九九九年、なんと二〇年前になる、「midnight press」（秋・五号）。対談・谷川俊太郎×正津勉。それが最初だった。いやその前にどこかで会ったかも。だけど思うに、ちゃんと顔を合わせたのは、それが初めて。それでときにどんな話の流れでそうなったか。

次回（冬・六号）以後、谷川×正津にゲストをくわえ鼎談形式、でもって連載すると決定していた。第一回が、平居謙氏。それがじつになんとも二〇〇六年（春・三一号）までつづくとはである。しかしそんななぜ、幸文さんがこちらごときを起用、しようとしたのか。いまもってわからないのだが。

主・谷川×脇・正津。はじめからはっきりと当方は位置と役割をきめてのぞんだ。だからまあ気楽というなら気楽でいられた。ゲストを選ぶのは、谷川さんと、幸文さんと。こちらはまったく口を挟んだことはない。そうしてその席ではただ相槌を打っているか、まるで「赤べコ」みたい、ときどき要をえない横槍を入れたりするだけ。いやただ一度だけ、ゲストとしてこちらが、あげた名前があった。

二〇〇三年、(夏・二〇号)(秋・二一号)、ゲスト鶴見俊輔氏である。それはその春刊の『もうろくの春　鶴見俊輔詩集』(SURE)を精読したからだ。これには動かされた。当方、じつは最後の同志社大学鶴見俊輔ゼミ生。谷川さん、幸文さん、みなみなさんと京都へまいりました。このときに鶴見元教授が開口一番おっしゃった。「きみはあれだよね、ほとんど授業に出なかったが、つよく印象に残っている、へんだったからね」。それでどんなことを当方しゃべったものやら。ダンボール箱のバックナンバーを当たればわかる。だがどうにも恥ずかしくて手がでそうにない。どうせへんだったのだろう。

それはさてとして、鶴見さんと顔合わせ声交わしたのは留年から三四年ぶり最初、だったことである。そうしてこれが最後になろうとは。いまここで私事ながらいえば、このような場を作って下さったのは、ほかでもない幸文さんである……。

ということで話を戻すことにする。幸文さんの葬儀はてて帰路のこと。わたしは、列席の顔見知りを呼んで近くの荒川の土堤歩きに誘った(参照・「浮間舟渡の午後」八木幹夫、「岡田幸文追悼」渡邉一「Midnight Press WEB」No.14)。わたしはそうだ、ふとそのとき幸文さんの、最後の詩の土堤を、ぼっと遊歩したくなった、なっていたのだ。

その光に吸い込まれていくように歩いていくそのとき
これは前に一度歩いた土堤であるということに気がついた

たしか一九六九年の冬であった　（「土堤の論理」）
「一九六九年の冬」、二十歳の幸文さんに逢いたく……。

藍鼠色の空と、宍色《ししいろ》の空　――岡田幸文さんへ　柴田千晶

岡田幸文さんと最後に会ったのはいつだったろう。思い出せない。だれかの出版記念パーティーの会場だったような気がする。あるいは「hotel 第二章」の合評会後の打ち上げで、野村喜和夫さんや根本明さんたちと、新宿のどこかの店で偶然一緒になったとき、だったろうか。いずれにしても、もう十年以上も前のことだ。不義理ばかりしていた。

岡田さんに初めて会った日のことは覚えている。忘れることができない。二〇〇〇年六月五日、月曜日だった。その頃、私は派遣会社に登録し、様々な会社でデータ入力の仕事をしていた。まるで東京を漂流するかのように。重苦しい空気を感じながら、「hiniesta」という小さな冊子に、一九九七年三月に起きた東電OL殺人事件をモチーフにした連作を書いていた。そんな時、思いがけず岡田さんから「midnight press」7号への原稿依頼をいただいた。そのご縁で、岡田さんに詩集の編集をお願いした。六月五日、日本橋での仕事を終え、東京駅ステーションホテルのロビーラウンジで岡田さんと待ち合わせをした。原稿の束を渡すと、岡田さんは、その場で丁寧に原稿をめくっていった。殺人事件を題材にした詩集を出すことが私は少し怖かった。彼女のことを私が書いてもいいのか、そう自分に問い続けながら書いた連作だった。原稿を読み終えると、岡田さんは顔を上げ、「いい詩集に

なると思います」と、おっしゃった。あの時の岡田さんの顔を今でも覚えている。

十月、詩集『空室』が完成した。岡田さんは、できたての詩集を手に品川駅に現れた。表紙は、野口賢一郎さんの円山町のラブホテル街の写真。帯には大きく「愛を問う」とあった。〈世紀末に問う愛の詩集。〉という、素敵な帯文だった。岡田さんは、「その帯文、山本さんが書いてくれたんです。いいでしょ」と、少しはにかんでおっしゃった。あ、この本はすごく幸せな本だ。その時、心からそう思った。愛の詩人山本かずこさんと、岡田幸文さん、お二人に作っていただいた本だから。

岡田さんにもう会えないと思うとほんとうにさびしい。でもほんとうにもう会えないのだろうか。岡田さんの第三詩集『そして君と歩いていく』を読む。「歌降町」は好きな詩だ。〈歌降町《うたふりまち》〉〈抜寺町《ぬけでらまち》〉という地名から、この世とはちがう路地に迷いこんでゆく。〈改行するように、〉どこかの曲がり角を左に曲がると、岡田さんとすれちがったりしないだろうか。新宿の路上で待つ夜行バスの後部座席に、岡田さんは坐っているのではないか。「一九九〇年秋、新宿」も好きな詩だ。でもいちばん好きな詩は、「一九九二年のリバー・ガレージ・ギグ」だ。

夕方になったら
僕の好きなワインを持って
和子がガレージにやってくる

僕が和子に聴かせるだろう
二十年以上昔に流行った歌を
すると
「私も歌う」
そう言って和子は歌い始める

（「一九九二年のリガー・ガレージ・ギグ」より）


こんなふうにいつも一緒に歌ってきたのだろうな。岡田さんとかずこさんは。

〈私も歌う〉、私もだれかにそう言ってみたい。


『そして君と歩いていく』と、山本かずこさんの『恰も魂あるものの如く』を並べてみると、同じ装丁の二冊の表紙は、夜が明ける前の藍鼠色の空と、宍色《ししいろ》に染まりはじめた夜明けの空に見えてくる。

岡田さんの「海の思い出」を読んだとき、かずこさんの「桂浜」を思い浮かべた。

どちらの詩も、海の向こうから〈なにか得体の知れないもの〉がやってくる。

「桂浜」の女は、暗い夜の海を見ながら泣いている。傍らの男が、〈どうしたのか〉と問うと、海の向こうから〈なにか得体の知れない大きなもの〉がやってきて、男を連れ去ってしまう。取り残された女が泣いていると、別の男がまた傍らに現れ、同じシーンが繰り返される。女は悪い夢から抜けだすことができない。〈得体の知れない大きなもの〉とは、死のことだろうか。少し違う。絶望や孤独に近いもののような気がする。

岡田さんの「海の思い出」の男は、海の向こうへ消えたりしない。〈むこうからなにか得体の知れないものがやってきて／ここから先には行けぬ〉と言うのだ。その〈なにか〉とは、神なのだろうか。きっとちがうな。愛だと思う。暗い海を見て泣いていた女の、絶望や孤独を超えた愛だと思う。

目が醒めた
丹後の海辺だったが
生まれたばかりの赤子が母親と戯れていた
（「海の思い出」より）

男は赤子となって戻ってくる。きっとなんども。男の愛もこんなに深い。

かずこさんの「春について」を読んだあと、私は泣いてしまった。都内ではとうに桜の散った遅い春、北に向かって旅をしている二人は、途中のサービス・エリアで、桜の大木を見上げている。

これが　ことしの
〈わたし（たち）の春〉　なのか

それとも
これが　ことしの
〈春のわたし（たち）〉　なのか

と、詩は終わっている。この詩がいつ書かれたのかはわからない。でも書き下ろしとあるから、かずこさんが岡田さんと見た最後の桜なのだろう。十二月九日という日がやってくることはまだ知らずに。桜を見上げ、〈わたし（たち）の春〉ではなく、もしかしたら〈春のわたし（たち）〉なのかもしれないと思ったとき、もう二度と訪れることのない〈春のわたし（たち）〉の瞬間が、永遠にこの詩に刻まれたのだ。この詩、なんど読んでも泣いてしまう。すごい詩だな。

（いい詩でしょ。）と、ちょっとはにかんだ岡田さんの顔が見えるようだ。

岡田さんのことを書いているうちに、かずこさんの詩について書いてしまった。でも、それでいいですよね、岡田さん。きっと、そうだと思う。


詩と共に生きた岡田幸文さん、ありがとうございました。

岡田幸文さんのお導き　　二沓ようこ

私にとってたった一冊の詩集『火曜サスペンス劇場』をミッドナイト・プレスから出していただいたのは、もう、三十年近く前のことです。この詩集で福岡県詩人賞を受賞しました。詩集の栞を書いてくださったのは犬塚堯さんです。

池袋での詩集の打ち合わせの後、岡田幸文さんと夫・渡辺玄英と、犬塚堯さんの保谷市のご自宅にお招きいただきました。犬塚さんお手製の、干し鮑を使ったジャージャー麺や鶏ガラスープなど、中国の珍しいお料理の数々をいただきながら、詩集『南極』にまつわる物語を拝聴するという、なんとも贅沢な昼食会でした。

その夜、今度は、和光市の岡田さんのご自宅へと移動しました。そこで、憧れの『ストーリー』『リバーサイド　ホテル』の詩人、山本かずこさんにお目にかかれて、嬉しさで震えたのを今でも思い出します。お二人の佇まいが、詩と音楽と愛、に満ちていることに深く感銘を覚えました。当時、新婚だった私たちはお二人を理想としたものです。

この度、山本さんが、お二人の詩集『そして君と歩いていく』『恰も魂あるものの如く』を刊行され、続いて、岡田さんの追悼集のご準備をなさっていると伺い、「ムイシュキン侯爵」のエピソードを思い出さずにはいられませんでした。

かつて、お二人が出会われたとき、山本さんが岡田さんのことを「「ムイシュキン侯爵」を守ってあげることができるのは、わたししかいない」「わたしが守ってあげたい」（山本かずこ『日日草』）と、直観されたという逸話です。ムイシュキン侯爵は、もちろん、ドストエフスキー『白痴』の主人公から来ています。

そのときのお気持ちが今なお色褪せることなく、これからも永遠に続いていくであろうこと、そこに愛の力を、詩の力を、感じずにはいられません。

「記念撮影新宿写真館」（一九八五年頃）のお二人の記念写真が心に沁みます。そこに写し取られた、人間存在の恥らいであるとか、厳かで敬虔ななにものかであるとか、なにものかを果敢に捕まえようとする詩人の姿であるとか。それらが、時空を超えて心を揺さぶります。写真のなかで畏まる「しんじつ美しい人」（『白痴』）ムイシュキン侯爵は、ドストエフスキーの原作通り、あたかもキリストのようではありませんか。

見下すと神田川が流れていて
睦言しか浮かんでこなかった
そして

恋情のかなたからやってくる
あなたが

これは、記念写真が撮られたちょうどその頃に書かれた岡田さんの詩、その名も「恋唄—一九八五年秋—」(『アフターダンス』所収)の一節です。「恋情のかなたからやってくる」のは、作者にとって運命の女詩神《ミューズ》、『白痴』のヒロイン・ナスターシャこと、山本かずこさんだと、そう読むことも可能でしょう。

私が初めて書いた詩を、岡田幸文さん編集長時代の『詩学』に投稿したのは、八六、七年頃ではなかったかと思います。研究作品掲載の途中でいまの筆名に改めました。岡田編集長とは何度かお手紙のやりともさせていただき、詩への道案内をしていただきました。その『詩学』誌上で、山本かずこさんの詩とも出会いました。

岡田幸文さんのお導きのおかげで、私も、「詩のそば」で歩き続けています。

いつも自分らしさを　笹原玉子

幸文《こうぶん》さんとお会いしたのは四〇年も前のこと。

やがて日本中がバブルに席巻される一九八〇年代に入っていた。

秋葉原は凸版印刷所にある小さな校正室が、私の新しい仕事場だった。

幸文さんを始め、同僚の吉田文憲さんや亡き瀬沼孝彰さんが詩を書いていたことは後に知ることとなる。

その頃短歌を始めたばかりの私を、みなさん黙って見守ってくださった。


ジーンズにTシャツに皮ジャン。

幸文さんのスタイルは夏でも変わらなかった。

時々、お顔をくしゅくしゅさせて笑った。

いつも自分らしさを貫いて。


徹夜の仕事をこなしながらも「ミッドナイト・プレス」を創刊し、詩《ポエム》の種を蒔いて歩いた。命をけずるように。

ビートルズが好きで詩が好きで何よりかずこさんを好きだった。

仕事場がお互い違ってからも、お花見や神社巡りに、お能の鑑賞にと一緒に遊んでくれましたね。

幸文さん！

ありがとう。

岡田さんのこと　芹沢美保

私は岡田さんの詩の世界でのお仕事に関して、ミッドナイトプレスの主宰をされているということ以外には内容としてはあまり詳しく知りませんでした。

お会いするときは山本かずこさんの同行者としてのことがほとんどでした。

そういう時、岡田さんは少年のようなはにかみを浮かべ、うれしそうに山本さんに寄り添っていらっしゃる。そんな姿をみて私は秘かに「敬愛」という言葉を思いうかべていました。

十年以上も前のことになりますが、パワースポットを訪ねようということで話が盛り上がり、岡田さんご夫妻と私どもの夫婦でドライブに出かけました。境内に樹齢一三〇〇年以上の大杉のある神社にご案内したときには、神木からふりそそぐ「気」に圧倒された岡田さんは「頭がびくびくする」としゃがみ込んでしまいました。言葉に対してだけではなくとても敏感な開かれた心とからだをお持ちだったのだと思います。

またかずこさんが『真・将門記』を上梓された折に、平将門の縁の筑波山神社にお参りに行きました。ケーブルカー山頂駅から山道を二〇分ほど登った男体山山頂に奥宮があります。小学校の低学年の子どもでもひょいひょいと歩くような道です。

そこを登っているときに岡田さんはとてもしんどそうにして「ここは上級コースですか？」とおっしゃったのです。私は少し驚きましたが、（ああ、都会の方だな）と軽く考えていました。後からわかったことですが、お昼の食事のときに召し上がったビールがきいてしまっていたのですね。ちょっとした笑い話のように思い出されます。

岡田ご夫妻とのお参りの旅は香取神宮、鹿嶋神宮を始め四，五回はあったでしょうか。岡田さんのかずこさんに対する親愛、敬愛の表情しぐさが折にふれては思い出されます。

今は私たちにはその姿は見えなくなってしまいました。でもかずこさんのかたわらで「ちゃんとご飯をたべなさい。玉ねぎも食べなきゃだめだよ。君は詩を書かなければ」などと寄り添っていらっしゃる岡田さんが私には見えるような気がします。

岡田幸文さんを偲んで　　平井るみ子

私が初めて岡田さんにお会いしたのは、暮も押し迫った二〇〇六年十二月三十日で、場所は池袋のマダムシルクというスナックでした。

その数年前から、夫の平井弘之が、若い頃から通っているこのお店で、岡田さんご夫妻と知り合いになり、詩の話をしたり仲間内の会に出たりして親交を深め、岡田さんの出版会社ミッドナイト・プレスから、本人にとっては三冊目の詩集『小さな顎のオンナたち』を自費出版していたという経緯がありました。

（その後四冊目の詩集『複数の信仰には耐えられない日蓮』も出しました。）

奥さまのかずこさんが出版された本を頂き、その本を読んだ私が、お二人にお会いしたいと平井に常々言っていたのが、この日に実現したのです。

初めてお会いする岡田さんとかずこさんは、文学青年と文学少女がそのまま年をとられたという雰囲気で、柔和で誠実な方達でした。頂いた本の中に、岡田さんがかずこさんに「キミと話が合わなくなるといけないから」と言いながら、付き合って出掛けるという事が書いてありましたが、そこに岡田さんのかずこさんに対する敬いと優しさを感じました。実際にお会いしてその思いを強くしました。

その六年後、二〇一二年にかずこさんが主宰する勉強会に夫婦で参加しました。その会にも岡田さんはご一緒でしたが、裏方に徹していらっしゃいました。

会の後は、マダムシルクで食事をするのですが、平井は、岡田さんとビールを飲みながら話すのが楽しみでもあったのです。

平井が五冊目の詩集を出すために、岡田さんと打合せを始めた矢先、癌の再発が分かり入院しました。二〇一四年四月でした。入院中も詩集の話を進めようと、病室で打合せを予定していたその日の朝に、平井は還らぬ人となりました。入院してから一ヵ月後でした。

この後、岡田さんは平井の意を汲んで、ブログと同人誌の膨大な詩の中から、時間と労力をかけて五十一篇の詩と一篇の散文を選んで詩集『浮間が原の桜草と曖昧な四』を上梓してくださいました。亡くなった平井に対する岡田さんの真摯な思いで完成させてくださいました。

その五年後に、まさか岡田さんが亡くなられるとは夢にも思いませんでした。

無情にも時は流れていきますが、今はあちらの世界で、平井が岡田さんと詩の話をしながら、うれしそうに楽しそうにビールを飲んでいる姿が目に浮かびます。

岡田さん、ありがとうございました。

岡田さんへの追悼文

笠貫　良

ちかごろ、このごろ、今日このごろ、僕らいくら舌を噛んでも何も云うことはございませんが、不要不急の神髄たるロックンロールを楽しんでおりますでしょうか。

ところで岡田さんは僕にとってロック好きのおじさんだった。よく着ておられたレザージャケットは「わるいけど僕はロック大好きです」という意思表明で、緊急事態宣言時だからってマスクは投げ捨てても革ジャケットは決して脱がなかっただろうな。

何かのイベントか酒の席か忘れたけれど（いずれにせよいつも酒は入ってはおりましたが）僕がビートルズ好きと知るや岡田さんは唐突にジョージ・ハリソンの初ソロアルバムの話を始めた。一九七一年発表のアナログレコードでは三枚組の大作だ。そこで僕は、アルバムのプロデューサーは天才フィル・スペクターで云々、ウォールオブサウンド云々などと知った顔をして話していると、岡田さんは、そんなことに興味はない、あのアルバムが素晴らしいのはビートルズではジョンとポールの陰に隠れていたジョージが才能を爆発させたことだと云っておられた。少年がまるで昨日初めてそのジョージのアルバムに針を落としたように。そのときかつて知っていたはずの音楽の楽しみ方を自分は忘れてしまったなと痛感した。

また事実が確認できなかったので名前は伏せますが、某大物歌手がデビュー前に会社の忘年会か何かの際にビートルズのガールを披露したところ社長に「君はこんなところで働いていてはダメだ」と云われたというエピソードを上野公園のお花見で泥酔した詩人たちを前に岡田さんは感慨深そうに話すのだ。そんな岡田さんは眠っていた才能が花開く瞬間というのが好きだったに違いない。だから多くの詩人や表現者に囲まれてその瞬間は今度いつ来るのかと楽しみにしていたのだろう。

あと忘れちゃあいけないよね。本牧のゴールデンカップのイベントでの岡田さんの締めの言葉とジョン・レノンのハッピークリスマスの引用は圧巻だった。普段は自分のことだけで手一杯の僕も恥ずかしながら、世界はなんなら平和になったほうがいいんじゃないか、みんな生きていてくれてありがとう、と心の底から思うことができた。

ところで岡田さんの命日は十二月九日だ。時差を考えると日本での十二月九日はジョン・レノンが亡くなったニューヨークでの十二月八日だ。そんな時差があるように僕らはもう岡田さんと同じ時間軸にいないけれど、ふとしたことで岡田さんのことを思い出し岡田さんの心と交差することはできる。それにしても命日まで一緒だなんてジョンのこと好き過ぎじゃねーの、岡田さん！

土堤の上での再会　　藪下明博

岡田さんに、最後にお会いしたのはいつだったか？……

病床のお見舞いに行けなかったこと。いや、大勢で押し掛けても、却って迷惑だろうと（自分に言い聞かせて）釈明してみるが、本当は岡田さんのやつれた顔を見たくなかったから、行けなかったのではなく、行かなかったのが正直なところだ。

気を遣うお方だったから、面と向かうと、無理をして対応してくれる。でも、ここならばその心配はないだろう。岡田さんと二人きりになれるのは、これが最後の機会だと思った。そう、あなたの骨を拾った後、みんなで上った、土堤の上でのことだ。

みんな、香典返しの紙袋を下げ、黒い服を着て、土堤の上をぞろぞろ歩いた。おかしな光景だと、笑ったことでしょう。僕は、左手遠くに霞んだ川の流れを見ながら、ゆっくりと、みんなから遅れるように一人になった。

その時の想いが届くようにと、つたない詩にしたためてみたが、さて、岡田さんのもとに届くだろうか？

土手の上で

藪下明博

骨を拾ったあと
土手に　上った
緩やかなスロープを
息を切らし　語った
河を見るのが供養になる
背後で
そんな声が　聞こえた

河は
遠くに霞んでいる
それでも　歩きながら語った
てんでバラバラに
語りながら　歩いた

土手は

真っ直ぐに続いていて
真っ直ぐに続いているようで
どこかで
下《お》る時がくる
そんな思いを
胸に秘めながら
紙袋を持つ手を　左手に変えた

前の声は　もう聞こえない
後ろは誰もいないだろう

急な斜面を見下ろして
河は
遠く霞んでいる

（二〇一九年十二月十四日詩人・編集者岡田幸文氏葬儀のあと）
（初出「詩と思想」二〇二〇年六月号）

＊

僕は、岡田さんがあんなにも長く髪の毛を伸ばしていた頃を知らない。遺影を見て驚き、思わず八木幹夫さんに耳打ちした。

考えてみれば岡田さんとの出会いは、ミッドナイト・プレス主催の「山羊塾」でのことだ。岡田さんは、毎回会場の設営準備と司会を務めてくださった。僕がいつも遅刻していくと「ああ、よく来てくれた」と、とても喜んでくれた。

「山羊塾」は、八木幹夫さんが講師を務める詩と批評の講座で、二〇一五年十月の第一回「宮沢賢治」から、二〇一九年十一月の第十六回「井上輝夫」までの四年間、計十六回開催された。学生時代の八木さんが、アメリカ文学の詩分野で活躍されていた新倉俊一氏の言葉「詩と批評は車の両輪、どちらが欠けても大きく発展することにはならない。」に感銘を受け、爾来、自身も詩を書きつつ、他人の詩を批評するというスタンスで催された講座である。

全く評価の埒外にあった僕の詩を、初めて「批評」して下さった八木さんのこの姿勢に、殆ど引き籠もり状態だった僕は深く共感した。二〇一八年度「山羊塾」開講に当たって――批評と実作とのあいだ――の中で、八木さんはこうも記している。「とはいえ、詩は理屈ではありません。詩の楽しみは読む喜びと創造的なものに触れる喜びです。皆さんとともに詩人の宝箱を開けてみましょう。」

そう、これが第二の目的なのだ。毎回講義終了後の二次会、三次会での飲み会、いや、講義では語り得なかった「詩人の宝庫」を開放するコーナー。まるで池袋モンパルナス（渡邉一さんの命名）さながらのおしゃべりが楽しみで、僕はたびたび「山羊塾」へ出かけた。岡田さんとは、まさにこの酒席で以って親交を深めた。いつも遅刻する僕に「ああ、よく来てくれた」と言ってくれたのも、実はこの二次会、三次会への期待だった……と、僕は思っている。

初めて会う僕にも、岡田さんは常に気を使い、良く話を聞いてくれた。世間知の欠けた僕は、酔いにまかせて不躾なことをしゃべったのではないかと、今でもハラハラしている。

誰もが言うように、岡田さんは自らのことについては寡黙で、人の話には、頷きながらよく聞いてくださるお人柄だった。ただし、音楽の話と現代詩の行く末についての話は別で、そういう時には、僕はただただ聞き役に回っていたことを今でも想い出す。

いつだったか、畏れ多くも僕が出した詩集のことに話が及んだ。もちろん、岡田さんは未読であった。「是非、読んでみたい」と、言われたかどうかは記憶にないが（笑）、僕は迷惑を顧みず、意を決して岡田さんに詩集を送りつけた。

しばらくすると、岡田さんから丁寧なお手紙が届いた。わざわざ時間を割いて読んでくださったのだ。しかも、かなり詳細に読み込んでくれている。言わずもがな、褒めるだけではなく、的確に欠点も指摘されている。岡田さんの詩に対する、譲歩の無いスタンスがこの手紙から十分に伝わった。

岡田さんの、批評スタイルの一端を示す資料として、僭越ながらその一部を紹介したい。

＊

《先日は、詩集『卵屋のじっちゃの幽霊屋敷』をご恵投賜わり、ありがとうございました。山羊塾ではじめてお会いした日のことを思い出しつつ手にとりました。

（略）

それから、冒頭に置かれた「ウッチョ」という詩を読み、なるほどと思いました。この「なるほど」には、この詩には、著者の詩観および詩法が象徴的に表れていることをしかと受けとめたというほどのニュアンスが含まれています。それはなにかと一言で云うと、〈世界〉への異和ということになるかと思います。

この「ウッチョ」一篇で、この詩集一巻を語ることも可能ではないかと考える僕が、同時に、「ウッチョ」にいまひとつ徹底性の欠如を見るのは、これは、日本語のSVOCというテンプレートに乗ったうえでの「言語遊戯」（石堂藍）ではないかというところです。

（略）

だが、このことについてもっと考えなければならないという思いが『卵屋のじっちゃの幽霊屋敷』を読み進むほどに高まってくる。言い換えればそれだけの問題を提示しているとも云えるわけですが、しかし、この点についてはこれ以上書き進めるだけの力がいまの僕にはありません。

（略）

各詩篇について、それぞれもったいぶった感想を云おうとすればいえるかもしれないが、それは無用のことのような気がします。いまは、ここに収められたことばの「悪意――〈世界〉（！）への異和――を受けとめました。》

日付は二〇一六年九月二日。相手のことを傷つけず、しかしながら、自身の詩に対する批評精神は絶対に崩さない、優しさと、真実を凝視する詩人・編集者としての、岡田さんの確固たる信念に僕は胸を打たれた。

＊

岡田さんと、最後に飲んだのはいつだったか？――

「山羊塾」第十五回「石川啄木と若山牧水」（二〇一九年八月十日）終了後の二次会だったか、三次会だったか。池袋西口の路地裏の一角にある大衆酒場の二階でのことだ。

いつもこの手の酒場が好きだった岡田さんや八木さん、渡邉一（壱はじめ）さん、森路子さん（森さんは、受講生の一人だったけど、すぐに会場の手配やら二次会の差配など、スタッフとして機敏に働いてくれた）、そしてこの日は水島英己さんがおられた。

忘れようにも忘れられない酒宴（この日のことは、水島英己さん等も言及している）となった。偶然隣りのテーブルに居合わせた男性客数人が、全く経緯は記憶にないが、僕らのために大声で合唱してくれたのだ。なんでも、大学のグリークラブの元部員達であるらしく、狭い居酒屋の壁に並んで、身振り手振り、大仰な振る舞いでの大合唱だった。こちらの歌のリクエストにも応えてくれた。これには、あまり調子の良くなかった岡田さんも、声を張り上げ、手拍子を打っての大はしゃぎだった。

最後の「山羊塾」第十六回（二〇一九年十一月九日）は、岡田さんは体調不良とのことで欠席された。こんなことは初めてだった。事前に届いた九月二十八日付のメールには、しばらく静養するという旨と、第十六回を以って「山羊塾」を休講するという内容が書かれていた。

残念ながらその日は、岡田さん抜きの二次会・三次会だった。帰りの電車で八木さんと二人、岡田さんの体調のことや「詩」の行く末のことなどを話した。いつも帰りの電車では、四次会の如く二人の会話は弾んだが、この日はいつになく、寂しい会話だったことを記憶している。

家に帰り、岡田さんにこの日の山羊塾が盛況であったことをメールで報告した。十一月十一日、岡田さんから返信が来る。体調がすぐれず、ずっと家で横になっているとのことだった。忙しい中、ほぼ毎回出席してくれてありがとう、とお礼の言葉も書かれていた。いやな予感はしていたものの、まさかこんなにも早く別れが来るとは、その時は正直思ってもいなかった。思い起こせば、これが岡田さんとのメールのやり取りの最後である。

詩や詩の周辺のことは話し合ったことがあっても、岡田さん自身の詩については、一度も語り合うことはなかった。山本かずこさんから『そして君と歩いていく』（ミッドナイト・プレス）が送られてきた時、これは岡田さん自身の詩について、二人きりで語り合う絶好のチャンスだと思い、一行一行、一文字一文字、噛みしめながらじっくり読ませていただいた。読み進むうちに、あの、長い髪をしていた頃の岡田さんの心象風景、僕が知らないでいた頃の詩人・岡田幸文の幻影が、くっきりと脳裏に浮かびあがった。

十五年振りに上梓された、山本かずこさんの新詩集『恰も魂あるものの如く』（ミッドナイト・プレス）には、こんな一節がある。

＊

わたしは　流れる水に向かって
話しかけてみたかった

手を差し出してみたかった
冬の寒い一日だったから
水に冷たさを感じたのは　わたしの方だ
恰も魂あるものの如く
流れる水は　けれども
何も言わずに
ただ　ただ　流れてゆくばかりだ
（「恰も魂あるものの如く」より）

＊

骨を拾った後、僕が土堤の上で岡田さんへ話しかけた時も、岡田さんは何も言わずに、ただ、ただ、ながれゆく、川の水のように黙していた。実に、岡田さんらしいと思った。

土堤を下りてから、僕は八木さんや骨を拾った皆さん方と一緒に、黒い服を着て、手に紙袋を下げ、ようやく見つけた駅近くのファミリーレストランへ、まるで池袋西口のモンパルナスへ向かうように、ぞろぞろと大勢でなだれ込んだ。

（二〇二一年二月二十五日）

岡田幸文『そして君と歩いていく』
歩行の原理と土堤の論理　藪下明博

シンプルな装丁である。深くなく、かといって浅瀬の海ではない。薄い群青色の水が、グラデーションを編みながら上へ上へと向かう。決して空とは同化しない。ゆっくりと流れる起源のない川。着飾らない詩人に相応しい、純粋で美しい意匠に包まれている。

惜しくも昨年末に急逝した、詩人・詩の出版社ミッドナイト・プレスの編集者であった故・岡田幸文の第三詩集。『あなたと肩をならべて』（一九八一年・いちご舎刊）、『アフターダンス』（一九八九年・ミッドナイト・プレス刊）以来、三十年余りの歳月が流れているという。ともに生を営み、詩の同志でもあった山本かずこ氏の「あとがきにかえて」によると、その間、詩人は詩のそばで生きながらも、詩を書くことは少なかったという。実際、自分の詩について語ることは稀であったと記憶する。寧ろ、優れた詩人を世に生み出す仕事に、常に邁進していたようだ。

年代的には、一九八三年から二〇〇四年までを一区切りとし、二〇一八年から最晩年までに発行された個人誌「冬に花を探し、夏に雪を探せ。」を初出とする詩篇、全三九篇が収録されている。

私は歩いている。
私はひとり歩いている、
誰も歩いていない午下がりの歌降町《うたふりまち》を。
歩くことからしか始められなかったから
私はいつも歩いている。
（「歌降町」より）

歩くことからしか始められなかったというフレーズが、詩人、或いは編集子としての始まりを修辞しているのだろうか？（改行するように）ひとり歩くと呟きながらも、詩人の背後には常に歌があったし、多くの人の蠢きがあった。孤独でありながらも、微塵もその姿は人に見せなかった。

この詩人のひとり歩きは、妄想の中での他者から始まり、やがて明確に同伴者を伴う旅へと変貌する。「一九九〇年秋、新宿」では（見知らぬひとたちのうしろ姿のなかに）父や、母や、他人の顔を夢想し、「京都　4」では、福田章二や弥勒菩薩の顔を思い出しながら歩いている。そして「冬のシャンソン」になると、（書割の森をさまようように／「もう少し歩きましょう」）と、歌うように君に話しかけられる。君とは誰か？「一九九二年のリバー・ガレージ・ギグ」で古い歌を唄った、他ならぬ和子夫人の姿が重なるだろう。

僕らは歩いた
肩をならべて
久し振りに
一本の真直ぐな道を
（「僕らは歩いた」より）

岡田幸文の、真一文字な詩や詩業に対する道程は、つまるところ「土堤の論理」という作品に帰結する。

もはや引き返すことはできない
とにかく河口に向かってみよう
（中略）
なにも考えない
それが歩行の原理であり　土堤の論理であった
（「土堤の論理」より）

一九六九年の冬（前に一度歩いた土堤である）と締めくくられたこの詩は、道筋は見通せているものの、その存在としての不全を自問したものだろう。タイトルとなった『そして君と歩いていく』は、決して一人ではなかった詩人の、寡黙な足跡を象徴している。

（ミッドナイト・プレス／二〇〇〇円＋税）

（初出「季刊びーぐる詩の海へ」二〇二〇年第四九号）

岡田幸文さんへ　小川三郎

岡田さん。岡田さんとは一度しかお会いすることができませんでした。そんな私が追悼文を書かせていただくなんて、おこがましいことに違いないのですが、どうかお許しくだされば と思います。お会いしたのはミッドナイトプレス主宰で行われたお茶会でした。あれは二〇一三年のことで、もうずいぶん前のことになってしまいましたが、春の谷中霊園の空気はよく覚えています。知り合いのあまりいない私に岡田さんは声をかけてくださいました。そして私の詩について、もの静かな口調でいろいろと語ってくれました。岡田さんをよく知る方から、岡田さんはロックだからロック好きな小川さんと合うよ、などと言われていたので、もっと騒がしい方と勝手に思い込んでいたので少し驚きました。そして私の詩について細かなところまで言及してくださるので、そんなにちゃんと読んでくださっていたのか！　とまた驚きました。岡田さんほどの方ですと多くの詩集が謹呈されるでしょうから、私の詩集など読んでいないものだと思い込んでいました。嬉しくなって、自分がいっぱしの詩人として扱われているような気がして、調子に乗って私もいろいろとつまらないことをしゃべってしまったような気がします。しかしそんな話にも、岡田さんはうんうんと真剣に耳を傾けてくれました。詩を書き始めてから間もない人間の浅はかな言葉だったと思いますが、それでもひとつも否定することなくきいて下さいました。そんなに長い時間ではなかったのかもしれませんが、私にとって、あれは大変意味のある時間だったのだといまでは思うのです。失礼ながら、あのあとあちこちで、岡田幸文さんとお話した、静かな雰囲気ですごくいいひとだった、などと触れ回ってしまいました。ところで中村剛彦さんが「岡田さんは小川さんに期待していた」とおっしゃられていました。無論そんなに大きな期待ではなかったでしょうが、私は岡田さんの期待通りの作品が未だ書けずにいると思います。岡田さんが旅立たれてから、第三詩集『そして君と歩いていく』が山本かずこさんから届きました。開いてみると、そこには詩が書かれていました。冗談ではなく私はその詩集を開いて、ああ詩が書いてあるな、と思ったのです。それは詩であり、詩以外の呼び名をまったく受け付けないものでした。そうだ、これが詩か、と思い、これが詩だな、と思いました。テクニックやギミックなど関係なく、四角い箱をすっと机に置いて立ち去ったように、自然とそれは詩でありました。ちょっときざなところや、おしゃれなところもありますが、岡田さんの詩には路地裏でつく長い溜息のような雰囲気があるのです。靴の下には汚れた道があって、見上げれば雲が沈黙しながら流れている。街の喧騒が絶え間なく聞こえている。そのような事実のように、岡田さんの言葉はすべてであるべきところにあり、だからといってすっとどこかへ行ってしまうような自由さもそなえている、そんな言葉、ああ詩だな、と思うのです。私は、詩は二連目にあると勝手に思っています。読者を惹きつけようとする一連目でもなく、まとめようとする最終連でもなく、展開をさせようとする三、四連目などでもなく、よい詩人の書く詩は、二連目にほんとうの魅力があります。『そして君と歩いていく』を開いたとき、二連目、あるいは四、五行目の秀逸さに目を見張りました。当たり前なことを平坦に書いているようでありながら、よく見ると言葉がしっとりと濡れて水を含み、繰り返し読むほどに抒情が浮き上がってきます。このような詩句を書くことが難しいのは当然ですが、同時にとても勇気と覚悟が必要なことだと思うのです。詩に自分のほとんどすべてを差し出す覚悟がなければ、このような詩句は書けない。この詩集に添えられていた山本かずこさんの文章には、「約三十年……詩を書かなかった日々、岡田は、すぐれた一篇の詩を世に伝える「仕事」をひたすら続けていたように思います。」とありました。まさにそうだったのでしょう。しかしその三十年の間にわずかにも書かれた詩は、これほどまでに詩であった。誰にも媚を売らず、ご機嫌をとろうともせず、ただ孤高にそこにあろうとする一篇の詩を岡田さんは書いて、それがいま私たちの前にある。岡田さんの存在を担ってそこにある。そのような詩を書く勇気が、私にはまだないような気がしているのです。こういうのが、詩、なんだよ、と物静かな口調で語りかけてくれているようです。岡田さんのことを思いだすとき、私はまだあの谷中霊園にいる気がします。春の日に、まだ桜が咲くには少し早かった春の日に、霊園の道をのんびり歩きながら、岡田さんが物静かな口調で話してくれている、話を聞いてくれている、そんな気持ちになるのです。

余技ではなく　久谷　雉

岡田幸文さんとは十五年以上のつきあいになったが、結局岡田さん自身の詩についての話は一切することがなかった。岡田さんが詩人としてどういう仕事をしていたのか、人を介して耳にすることはあったが、本人の口から私に対してはまったくその手の話は出なかった。そもそも岡田さんの生前に刊行された二冊の詩集じたい、なかなか古書の市場に出回らない。蔵書している図書館もほとんどない。こちらから「詩集をください」とお願いすればあっさりくれたり売ったりしてくれたのかもしれないが、そのような機会も持たずに終わってしまった。また私自身、岡田さんの詩人としての来歴よりも編集者としての来歴のほうに興味を惹かれていたというせいもあるだろう。

しかしながら、そのことが案外、岡田さんとの関係が年に一、二回会う程度の細々としたものでありつつも、長く続いた秘訣だったような気がする。いや、むしろ岡田さんが生きているうちに、岡田さんの詩について知らなくて良かった——今回、かれの夫人である山本かずこさんの手によって編まれた詩集『そして君と歩いていく』をひもといているうちにそんな確信を抱いた。なぜなら、かれの遺した詩には、《余技》ではない詩を書く者の志向する、若々しさ、そして痛々しさが漲っているからだ。これらの作品をもし、生前の岡田さんから何らかの形で見せられたら、おそらくコメントに窮してしまい、かれを失望させてしまったかもしれない。

生前に出した二冊の詩集を未読であることをことわっておくが、岡田さんの詩の言葉は意外にシリアスだ。「歌降町」というかれの中年期に書かれた作品をみてみよう。「到着」の「無意味さ」を意識しながら、ひたすら歩行を続ける語り手が、自分とおなじように「歩いているもの」がいるのだということを確認する。ごくシンプルなストーリーの詩だが、語り手が歩きまわる（そしてこの詩のタイトルにもなっている）「歌降町」というのは、なんと思わせぶりな地名ではないか。「歌」は語り手にとって自分で歌うものではなく、雨のように「降」ってくる、つまり受け身になって浴びるほかないものであるという認識が、このおそらく架空の町のネーミングから見え隠れする。たとえ自らが歌わなくても、音楽はすでにこの世界にあふれている。その中をひたすら、語り手は歩きつづける。ヴァレリーのよく知られたアフォリズムを引用するまでもないが、歩くことは散文性を象徴する。しかしながら、この歩行は「歌」すなわち詩の拒否ではない。むしろ「歌」と歩行の摩擦から生じる熱を通じて、あらたな「歌」の形をさぐりあてようとしているかのようだ。「改行するように」「曲がり角」を曲がってゆくのも、さまざまな姿勢をとることで、その分だけ多様な熱の発生の場をつくりだそうとする意志のあらわれなのであろう。そして、その熱のむこうにかげろうのようにゆらめく、自らとおなじくあらたな「歌」を求めてさまよう者たちのかげを発見する。孤独な歩行から連帯の予感へというこの流れは、一見あまやかな決着のように思える。しかしながら、あまやかな決着をあえて書いてしまうところに、孤独に追いつめられた人間の切実な像が露呈する。

この切実さが、岡田さんの詩を《余技》ではないものにしている。また、岡田さんご自身、書き手としてばかりではなく編集者として、他者の詩に対してもその人生の多くの時間を捧げてきた人だ。他にも生計を立てるためのお仕事をなさっていたと聞くが、私のように教員の職の片手間に、年に二、三篇の短い詩をかろうじて書き上げているだけの人間に比べれば、詩に向き合っている時間の密度ははるかに濃いものであろう。それゆえに、この詩集の真摯さに、果たして自分はついていけているのだろうかという疑問もおぼえてしまう。速度の強すぎる球を、掌のしびれに耐えながらなんとかグローブ越しに受け止めているような感じが詩集の最後のページをめくるまでなかなか消えない。ここまで、私は詩というものに自分をゆだねられるだろうかと。

とはいえ、十数年のブランクを経て、個人誌「冬に花を探し、夏に雪を探せ。」に死の直前まで書き続けられた詩篇群には、真摯さと同時にあるゆとりのようなものも生まれている。たとえば遺作にあたる「土堤の論理」は、「歌降町」と同様に歩くことが主題に据えられているが、どこかしら和やかな空気が流れている。「なにも考えない」で歩きつづけた結果、「一九六九年の冬」の「土堤」にたどり着くという、青春への回帰。この展開に死の予感を読み取ることも可能であろうが、むしろ、特別なアクションなど起こさなくとも、いまここに自分があること自体が、詩なのだという確信のようなものがくきやかに浮かび上がっている。また、その確信の輪郭を、生前の岡田さんの柔和な表情にかさねあわせてみたい誘惑にかられる。

岡田幸文さんを思う　松岡祥男

岡田幸文さんとご一緒して、いちばん印象に残っているのはいつだろう。そう思って思い返してみました。

毎年恒例になっていた東京・谷中の墓地の、吉本家の花見に行ったことがあります。岡田さん、金廣志、伊川龍郎、わたしの四人でした。けっこうたくさんの人が集まっていて、その場の勢いで、なぜかわたしが春秋社の小関直さんの奥さんと一緒に乾杯の音頭をとり、各自が持ち寄った酒や肴で愉快なひとときをすごしました。

岡田さんと吉本家のつながりをいえば、岡田さんは川上春雄さんのアドバイスで、吉本隆明さんに「猫の話」のインタビューを継続的に行い、『詩の新聞ミッドナイト・プレス』に連載し、『なぜ、猫とつきあうのか』として自社刊行しました。

岡田さんは猫と暮らしたことがなく、猫の魅力や習性を知らないので、なんとなく浮かない感じをともなったインタビューでした。でも、弱点は長所でもありますから、暗黙の了解のうちに成り立った猫好き同士の話とは異なり、猫の存在に対して客観的に接近するユニークなものになっています。そのユニークさが、のちに河出文庫、講談社学術文庫に収録される要因になったといえるでしょう。

でも、わたしはハルノ宵子さんの装画と山本かずこさんのおしゃれな装丁の最初の単行本が好きです。

またこの本が機縁となり、ハルノ宵子さんの「よいこのノート」という連載が『詩の雑誌ミッドナイト・プレス』ではじまっています。ハルノさんはご両親の介護もあって、漫画家としてはしだいに開店休業状態になっていったのですが、この文とイラストによるエッセイは、その後のハルノさんの表現の方向を決定づけるものとなったのです。この連載があったからこそ、『それでも猫は出かけていく』や『猫だましい』も生まれたものとわたしは思っています。

岡田さんは、川上春雄さんが亡くなったとき、真っ先に「追悼特集」を組み、間宮幹彦さんらとともに福島県の郡山へお墓参りに行きました。それを遠くからみていて、岡田さんは人とのつながりをとても大切にする人なんだと思いました。

わたしは酒席におけるじぶんの振舞を思い起こすのは苦痛です。ろくでもないザマを晒していたことは確実だからです。飲んでいる時に気分が良く、楽しいなら、それでじゅうぶんです。

岡田さんは無類のビール好きでした。岡田さんのお父さんは学者だったようで、岡田さんにもその道を歩んでほしかったのかもしれません。しかし、ビートルズとの決定的な出会いと、詩の誘惑によって、親の願望からは逸れていったのではないでしょうか。岡田さんをよく知る人は「ムイシュキン侯爵」とあだ名していました。いうまでもなくドストエフスキーの『白痴』の主人公です。わたしはドストエフスキーの代表作は『カラマーゾフの兄弟』や『悪霊』でなく、『罪と罰』と『白痴』だと思っています。岡田ムイシュキンは無防備で、愛すべき酔っ払いでした。そして、女性にもてたことは疑いありません。でも、その無防備さは必然的に〈受難〉を呼び寄せます。

二度、わたしの地元である四国の高知でご一緒したことがあります。そのひとつは、岡田さんとかずこさん、高知新聞社の片岡雅文さん、わたしとわたしの妻純子の五人だったと思います。

岡田さんは『詩学』の編集をやっていました。その関連の「H氏賞選考会」で、進行役を務めていたら、高知から出席した片岡文雄が何の因縁も前触れもなく突然、岡田さんに対して「お前なんか女房の尻に敷かれたままだ」と言い放ったそうです。つまり、岡田さんの詩は、つれあいである山本かずこさんの詩とは較べものにならないと言ったのです。この謂れのない唐突な攻撃に、岡田さんはとまどうとともに傷ついたのでしょう。その一件を話しました。

バカなのは片岡文雄です。片岡文雄は高校教諭で、わたしは夜間高校で「国語」を教わっています。『開花期』という詩の同人誌を主宰し、地元では名の通った文化人の一人でした。片岡文雄は現代詩・短詩型・歌詞という〈序列〉の固定観念を持っていて、教師が勉学の出来不出来で生徒を判断するように、詩を安易に採点できると錯覚していたのです。それがこの発言の背景にあるものです。もちろん、表現者がじぶんの表現方法に自負を持つことは当然です。しかし、それがそのまま通用するかどうかは疑問です。

岡田さんの『あなたと肩をならべて』と山本かずこさんの『渡月橋まで』、ふたつの処女詩集を比較すれば、『渡月橋まで』が優れていることは動かないでしょう。しかし、ほんとうの問題はそんなところにはありません。岡田さんの詩のなかには現代詩はもとより、洋の東西を問わず歌謡曲やロックやフォークも感性的に流れ込んでいます。詩も短歌も俳句も歌詞も、みんな〈詩〉なのです。その総合性を考慮するならば、詩の可能性ははるかに広がるのです。

早い話が、片岡文雄の詩を知っている人がいるでしょうか。これに対して、岡田さんの愛着したジョン・レノンの「イエスタディ」や「イマジン」は多くの人が愛唱しています。流行の歌曲の歌詞がそれだけで低俗だと考えるのは偏見です。曲（メロディ）の伝播性や歌唱力を差し引いても、どちらが人々の心を魅了するかは分からないのです。たしかに言語表現の先端を切り開くのは高度な詩的表現です。しかし、それが普遍性を獲得するのはよりポピュラーな表現なのです。

作られた詩なんて沢山だ
女が忘れていった詩集を読みかけて
閉じる

ターンテーブルの上に置かれたままのレコードに針をおろせば
センチメンタルなジャズ・ピアノのフレーズが予想されたように流れ
ベッドの上に横になれば
女のにおいがかすかに残っている

先刻まで女はこのベッドのなかにいて
歌をうたってくれたりしていたが
朝になれば
俺もこの部屋を出る

男一人の引越というのに
ダンボール箱が多すぎる
すべては失くしてもよかったものだ

もういいのだ
女には帰る場所があったが
俺にはなかった
だけのこと

このありふれた神話のなかで
俺は最後の荷作りをはじめた

（岡田幸文「最後の夜」）

この詩と「勝手にしやがれ」(作詞・阿久悠、歌・沢田研二)を較べると、カッコつけている点では変わりませんけれど、阿久悠の作品はよりシンプルに定型のパターンを踏襲しているゆえに強い感じがします。けれど、喪失感は岡田さんの詩の方が深いといえるでしょう。「すべては失くしてもよかったものだ」という一行がそれを示しています。

片岡文雄がどうしてそんな発言に及んだのかは測りかねるところがありますが、その場面を想像すると、他者を貶すことでおのれの権威を誇示したかっただけなのかもしれません。片岡文雄は大岡信を典型とする詩歌の通俗的な秩序化に追従していましたから、表現行為はどんなに稚拙なものであっても、その限界への〈無意識の挑戦〉であることを理解できなかったのです。そうでなければ、みずから〈創造〉する必然はないのです。それは社会制度の支配に対して、現に生きている人間の行為はその規定をはみ出しているのと同じです。世の文教族の多くは、愚かにもそんなことも分からないのです。それが分からないと、人それぞれの〈トータル性〉が見えなくなるのです。

それ以上に卑劣なのは、「そんなことはこの集まりに関係ないだろう、俺に文句があるなら表へ出ろ」と立場的に言えないのを見越した言動だからです。これも岡田さんの〈受難〉のひとつといえるでしょう。

わたしは岡田さんがこの話題を持ち出したとき、初対面の人もいるので、なんとなくまずいような気がして、「もう、いいじゃないですか」とさえぎり、なだめることができませんでした。それが心残りだったのです。

　まあ、せこいのは片岡文雄にとどまるものではありません。あの「現代詩作家」を標榜する荒川洋治は、岡田さんが『詩の新聞』を創刊した時、その足を引っ張るようなことを書きました。もちろん、荒川洋治の『娼婦論』や『水駅』は画期的な詩集で、現代詩の表出次元を更新するものでした。その意義とは別に、荒川洋治のこの所業は狭い詩壇の縄張り意識を露呈したものでした。

　さらにいえば、荒川洋治は「実篤のいるスタジアム」において、武者小路実篤の詩を持ち上げました。これは日本文学の総体でいえば、白樺派のエセ・ヒューマニズムを肯定するものです。一見、吉本隆明が『マス・イメージ論』の「喩法論」で、巷を飛び交うことばが詩語に拮抗する可能性を示唆したのと同じようにみえますが、その方向性は真逆です。なぜなら、取り澄ました高等文士の通俗性からは、忌野清志郎や遠藤ミチロウなどの詩的表現は、なにを言っているのか、まるで分からない、了解を絶する〈異類〉のことばのように映ることは確実だからです。荒川洋治は戦略的見地からあの邪説を唱えたのでしょうが、こと感性的な〈隔絶〉と文芸の〈表現史〉を無視したところに、その反動性は如実に現れています。

　『現代詩手帖』も『詩と思想』も、思潮社も土曜美術社出版販売も紫陽社もあった話ではないのです。いまや現代詩は凋落の一途をたどり、マイナーな存在になりはてたのです。大きな書店へ行っても詩集は殆ど並んでいません。それはこれら業界関係者のなせるわざと言っても決して過言ではありません。小田久郎を筆頭とする、これら商売人はじぶんらの派閥的な利権にしがみつき、その意向に添わないものはすべて排除してきました。そのつけがまわってきたのです。あのときの荒川洋治の言説は、その先駆的な象徴だったのです。

現状がどうであろうと、わたしは〈詩〉は人間の根源的な表現であると思っています。新生児の産声のような、あらゆる求愛のアピールのような。だから、絶対に消滅することはないのです。

わたしは岡田さんにお世話になりっ放しです。『詩学』への寄稿にはじまり、「酔興夜話」を『詩の新聞ミッドナイト・プレス』に、「読書日録」を『詩の雑誌ミッドナイト・プレス』に連載というかたちで掲載してもらいました。そのうえ『物語の森』という本も出していただいたのです。これはあまり売れず、迷惑をおかけすることになってしまいましたが、ただひとつ救いを挙げれば、『物語の森』を出典にして大学入試問題に活用されました。つまり、誰も見向きもしなかったわけではなかったということです。

岡田さんは、わたしの詩のなかでは「ヤスコ」がお気に入りだったようです。それをここに掲げます。

たたかいが終れば
あわれなむくろがみつかるだけだとおもうなら
ひきょうものめ
おもいだすがいい

潮江橋のたもとが待ち合せの場所だった
約束の時に少しおくれて
ぼくは急いだ
たどりつくと
そこにはめずらしく着飾ったきみがいた
そのとき　手にした『前進』を
ぼくは河に投げ捨てればよかったのだ
黙りがちのきみを怖れるように
ぼくはあらぬことばかり口にする
冬の日は暮れやすく
追われるようにホテルのネオンのなかを歩きながら
きみに語りかけることも
きみの手をとることも
ぼくはできない
くたびれた商店街で　ヤスコは
わたし　何のために出掛けてきたの?
足早やに立ち去った

きみをうしなって
おれはみじめな自分に出会った
もっと傷つくがいい
おお　時よ
おれの敵対者よ
争うことは愛し合うことだ

（松岡祥男「ヤスコ」）

岡田さん、あなたの訳した「ビートルズ詩集」を読みたかったです。

もっと話したかった　根石吉久

岡田さんは、いくつか、謎を残してくれた。

『諦めるとは明らめること』

これが一つ。

畑をやりながら、とぎれとぎれに、考えていた。

岡田さんともう話せないと、思い返しては自分に言い聞かせた。わかることは分かることで、腑に落ちることではない。岡田さんの死を納得しない自分がいたから、明らめられなかった。

『それを自分だと思わない方がいい』

これも岡田さんが言った謎だ。『自分が存在しない長い長い時間と対比すれば一瞬でしかない点が自分として「ある」ことが、中学生の頃、不思議で仕方がなかった。』というようなことを、私が言った時だった。不思議だと思う極小の点が自分だと思うと不思議だと言ったのだったか、私だと思うと不思議だと言ったのだったか。脳梗塞を三度やって、わからなくなった。

『それを私だと思わない方がいい』

岡田さんはそう言ったのだったか。

自分でない者が、不思議だと思っていたのか。自分が思っていたのだ。不思議だという思いは勝手に湧いてくるものだったから。

私が思っていたのではない。私は他の人称格との関係で私だから、と言ったところで、日本語に人称格はない。勝手に湧いてくるものは、自分であって、私ではない。

だけど、私はその時、黙ってしまった。何かがぐずっているのがわかった。

今日書いたことは、その時はまだ言えなかった。

岡田さん、もっと話したかった。

岡田さん追想　鷲平京子

はるかに遠く若いころ、北志賀の山中で幾夏かを過ごしたことがある。リュックサックに詰めていった本を読み、朝夕に山路を歩きまわって、一週間ほどもすると、日に二、三便のバスで麓へ下り、鄙びた電車に乗り換えて、小布施の町へ出る。そして「北斎館」で至宝の肉筆画に見惚れ、名物の栗強飯と栗菓子を味わい、日暮れにはまた、蝮だらけの山へ戻るのである。

以来、葛飾北斎の画業に魅せられるようになり、東京で展覧会が開かれれば、すぐさま駆けつけた。『冨嶽三十六景』は、その一部であれ、どこでも必ず展示されるが、何度見ても見飽きることがない。絶妙な構図など、数々の魅力のなかでも、とくに心惹かれるのは、前景から中景に描かれた、さまざまな職種の人間たちの姿である。荷舟を操る者、木を挽く者、桶を作る者、茶を摘む者……いずれも一心不乱に、おのれの労働に励んでいる。わずかな遊客を除けば、彼方に聳える富士山など、見やりもしていない。

しかし、あるとき気づいた。見つめる視線は、富士山のほうから発せられているのだと。日々を懸命に生きる人びとの営みを、美しき霊峰は、静かに慈しみ深く、見守りつづけているのだと。そしておそらく人びとも、疲れた手足を休めて、ふと富士山を振り仰ぐとき、そこはかとない安らぎを覚え、われ知らず力を得て、ふたたび仕事に勤しむのであろう。少なくとも北斎は、そのように描いているかに思われる。

岡田幸文さんが亡くなって一年あまり。時が経つにつれ、北斎の描くこの富士山の佇まいと重なりあうようにして、岡田さんのことが偲ばれてくる。そしてありがたさと申しわけなさでいっぱいの気持になる。

初めて岡田さんにお会いしたのは、一九八四年の夏の終わりであった。かねてからパヴェーゼの詩と神話の世界に、並々ならぬ関心を寄せておられた岡田さんが、『詩学』に連載中の「詩人という仕事――チェーザレ・パヴェーゼの詩集《働き疲れて》をめぐって」の原稿の件で、軽井沢の河島英昭氏のもとへ来られたさいに、山本かずこさんと私も同席したのである。思うに、現代イタリアの特異な詩人であり、秀逸な編集者でもあったパヴェーゼに、岡田さんが魅了されるのは必然だったのであろう。

ともあれ、あの夏の一日から、ごく稀にのみお会いする、淡くて長いお付きあいが始まった。岡田さんと山本さんは、まるでお雛さまのように、いつもおとなしく、お行儀よく、並んでおられた。すでに学部生のころから、師の河島氏と行動を共にすることの多かった私は、権力者にいいように扱き使われる阿呆とか、著名人に擦り寄るいかがわしい女とか見なされて、編集者の方がたからは、無礼なあしらいを受けることも少なくなかったが、岡田さんはまったく違った。

濃やかなお心遣いで紳士的に接してくださるのみならず、あくまでも私を、独立した一個のイタリア文学者として尊重し、大切にしてくださった。そして種々の事情で細ぼそとしか進められない私の仕事を、控えめながら温かく粘り強く、見守りつづけておられたのである。しかしそれは、いまでこそ言えることで、岡田さんのそのような慈愛と激励の眼差を、ご存命中は、さほど意識していなかったし、忘れてさえもいたと思う。

それなのに岡田さんのほうは、ときたま拙訳書が刊行されようものならば、わがことのように喜び、どれほどの多忙や、困難（のちに知ったのだが）のさなかでも、丹念に読んで、貴重な感想を書いてくださるのだ。

たとえば二〇〇九年秋に岩波書店から『パヴェーゼ文学集成6』として、河島氏がついに「働き疲れて」全訳を上梓し、翌年春に私が文庫で、ジュリアーニ編『タッソ エルサレム解放』を世に問うてまもないころ、岡田さんから長めのお便りが届いた。岡田さんから送られてくる手紙は、受けとる側にはいつでも「幸の文《ふみ》」なのである。詩に対する岡田さんの視圏の広さと奥ゆきを示すために、私の自慢めいてもいるが、一部分を引用してみたい。

さて、この『エルサレム解放』、仕事の合間を縫いつつ、拝読させていただきましたが、一読して思ったことは、おもしろい！ということでした。これは、詩人であるアルフレード・ジュリアーニの懇切丁寧にして鮮やかな案内によるところが大きいと思われますが、しかし、鷲平さんの読みやすい日本語がなければ、これほどまでの感動を覚えたであろうか、と思わずにはいられません。（……）

そして、もうひとつ云いたいことは、訳文を停滞させず、たえずリアリティをつくりだしているもののひとつに、周到に選び抜かれた語彙の強度があるということで、これにもまた感嘆させられました。そして、これは詩の現在を考える場所にまっすぐに導くものでした。「詩の雑誌 midnight press」の復刊をこころざす僕にとって、チェーザレ・パヴェーゼの『働き疲れて』を読むことは、実に刺戟的かつ新鮮な経験でした。いまの日本の詩の停滞をブレイクスルーする道のひとつとして、神話／叙事詩を無視することはできないと、その確信をいよいよ深くするこの頃です。そういう日々のなかで読んだ鷲平京子訳『エルサレム解放』は、叙事詩のなんたるかを、そして、パヴェーゼにまで流れるイタリア詩史のなんたるかを教えてくれました。


岡田さんの厳しい優しい真摯な眼差は、むろん、私だけに向けられていたのではない。それは、私などよりよほど深く詩を愛する人びとすべてに注がれていたにちがいない。ひととき地上に舞い降りた詩の守護神の、無垢な瞳から放たれて。すると、いまもどこかで、詩人たちの営みを、現代詩の行方を、見守っておられるのではないか……

岡田幸文さんとはそういう存在なのだと、いまにして思う。

詩誌編集者への軌跡　深田　卓

一九七〇年代の後半、当時私が務めていたイザラ書房にアルバイトで来たのが岡田君との出会いだった。東大のインド哲学だかに所属していたというが、『新表現人』という同人誌を主宰していて、一般的な東大イメージから大きく外れた好ましい人物だった。

イザラ書房は60年度末の喧噪の中で生まれた版元で、エルンスト・ブロッホ、飯島耕一、平岡正明、四谷シモンなどの著書を発行していた。創業者の社長と私、そして岡田君の三人体制だったので本の制作、書店営業、品出しなどすべてをこなしていた。そこで二、三年働いてくれた。彼は出版の基本をここで学んだのだと思う。イザラ書房を辞職した後、私が論創社を紹介し、そこで数年働らき、詩学社に行かれた。そこから詩誌編集者としての彼の人生が始まる。

イザラ書房にいたころは、私の自宅や新宿で、また書店人や編集者たちとしょっちゅう飲み、ともに行動したことが思い出される。楽しそうに、しかし破滅的に飲む。言葉は迎合的ではあるが、辛辣だ。

私の京都の実家を拠点に京都を回ったことを、彼に最後に会った時に聞かされ思い出した。そういえば京都で岡部伊都子が好きだと言っていたことも思い出す。

七九年に私はインパクト出版会を立ち上げ、隔月刊誌『インパクト』（16号から『インパクション』に改題）の刊行でまったく余裕がなくなるのだが、彼もまた『詩学』そしてミッドナイト・プレスにかかりきりになっていく。時たま事務所に印刷所のこと、出版業界のこと、販路のことなど相談しにきた。そして「詩の新聞 midnight press」「詩の雑誌 midnight press」「冬に花を探し、夏に雪を探せ。」を発行するたびに毎号送ってくれたので、直接会うことはほとんどなかったが、彼の消息をそれで知り続けた。イタリア文学者の志村啓子さんの追悼集会で岡田夫妻とお会いできたのが奇遇だった。志村さんとは岡田君はイタリア文学者として、私は無実の死刑囚・金川一さんの支援者としての彼女と、まったく別の側面からの交流を持っていたのだった。

二〇一九年春、出版ニュース社が廃業へ向って移転し、遺されたものをなんでも自由に持っていっていいと言われて漁りにいった。そこに良寛の書のレプリカを見つけた。ああこれは岡田君が喜ぶともらい受け、早速宅配で送ったことがきっかけで、三十数年ぶりに池袋で一緒に痛飲したのである。彼には別れの予感が漠然とあったのかもしれない。しばらくして送られて来た「冬に花を探し、夏に雪を探せ。」のあとがきで体調の問題で休刊すると宣言されていて、いたたまれずにすぐに電話したのが彼との会話の最後だった。

四〇年にわたる断続的な交流だったが、刊行物を通して彼は身近な存在だった。極小の出版社に拠って自分のやりたいことをやり、出したいものを出していく、しかし経済的には決して恵まれない仕事を選び生きた同志であった岡田君。この二歳年下の友人の早すぎる死を心底から悼む。

追悼・岡田幸文　井上弘治

岡田幸文さんと最後に話したのは、亡くなる二か月ほど前のことだと思う。

彼の個人詩誌「冬に花を探し、夏に雪を探せ。」での「良寛」の連載がちょうど佳境にさしかかりはじめたところで、体調不良のためしばらくの間「休刊」する旨がその編集後記に書かれていた。最初わたしは幸文さんの「良寛」に多少の違和感をおぼえていたのだが、連載の途中から幸文さんの顔と良寛のそれとが重なるようになって、だんだん楽しみになっていた。だから休刊と休載にはがっかりしたのだが、それよりも「体調不良」ということばが妙にひっかかってしまった。

ちょうどわたしも六十歳のなかばになり、長年続けてきた経営という困難な仕事に一区切りつけようかという時期に差しかかっていて、ある種の空白を埋めるように今まで書きなぐってきた散文を一度まとめようという気になっていた。そこで彼の体調のこともあって、幸文さんに電話を入れた。ひさしぶりの電話だったけれどふだんの幸文さんの感じで、案ずることはなかったのかなと思ったけど、体調を尋ねると「まあまあだよ。どうってことはないけど、ちょっとな…」と、今思えば含みのあるようないいかたをしていたような気もしたが、用件を切り出すと、「井上弘治、やっとその気になったか…」と嬉しそうに言ってくれたのを思い出す。

その後、わたし自身も体調がすぐれず病院通いをしながら本にする原稿を整理していたのだが、12月に入って八王子の実家に用事があって、その夜は旧友と居酒屋で飲んでいた。7時頃だろうか。わたしの携帯に電話が入った。着信を見ると幸文さんからだったので電話に出ると、山本かずこさんだった。

山本さんの声は比較的冷静で落ち着いてはいたが、実は幸文さんがガンでほとんどの医者から見放されていて、転院を繰り返しているような状況だという。もともと心臓も悪いのでこのままだとかなり危険だという話だった。とりあえず転院、転院で幸文さんに負担がかかるのは危ないので、今の病院で個室があればそこに移して、病院のことは再度考えましょう。経済的なことで問題があれば、それはわたしが責任を持つからと伝えた。わたしは一度病院に顔を出すつもりで、電話を切った。

その夜は酔えないまま友人との会食を早めに切り上げた。

その翌々日仕事場に幸文さんの訃報が届いた。間に合わなかったという後悔と喪失感とで、わたしはただ茫然とするしかなかった。

岡田幸文さんとはずいぶん長い付き合いをした。ただいつ頃出会ったのかははっきりとはしない。20代の後半にわたしは第一詩集を出し、当時あちこちでさかんに行われていた朗読会などにも参加していた。おそらくそんな時期、彼は取材のようなことをやっていたのでなかっただろうか。何度か顔を合わせ飲む席でも一緒になった。そんな出会いを経験した後、わたしは転職をよぎなくされ、フリーランスの編集者が集まる集団に所属した。そこでふたたび幸文さんと出会うことになる。そこでの話とその後の数年間はあまりにも長くなり複雑なのでここではあえて触れないが、そのあたりの経緯を経て、急速に仲良くなったのだと思う。

わたしもその間多くの出来事に翻弄され、幾つかの詩の同人誌を経験した。

暫くして幸文さんは「詩学」の編集長になった。5年ほど「詩学」の編集長としてやっていたのだろう。しかしその間はあまり交友がなかったように思う。お互いに忙しい日々に埋没していたのだろう。そんなある日、彼が「詩学」を突然辞したという話を聞いた。それには妙な噂もつきまとっていて、わたしはいささかの心配をしていた。

そんな折、幸文さんから連絡があって、今度あらたに詩の出版社を立ち上げることになったんで、相談もあるから会おうということになった。新宿ゴールデン街の「洗濯船」で待ち合わせをし、その夜は何軒もはしごをした。

翌年、詩の新聞「midnight press」(89-98)が刊行される。しかし、幸文さんは「新聞」では満足できない何かがあったのだろう。会って飲むたびに、何かが違うんだ…。ということを愚痴るわけではなく、もっと遠くを見るような視線を投げながら、「井上さん、どう思う」と、なんとなく沈んだような声で繰り返していた。そんな言い方はまだ酒に酔っていない時で、そのうち「井上弘治、おまえはどう思うんだ…」みたいになって、こちらも「きたな」と思う。

付き合いのあった人なら誰しも思い当たるだろうが、岡田幸文にはある種の高潔なモラリストのようなところがある。そういう意味では、俗物のわたしは俗物の視点でしか彼に同調し、協力することができなかったような気がしてならない。

幸文さんは、本物の詩を求めていたのだろうけど、むしろその先にある「なにか」を探し続けていたのだと思う。

その入り口を、彼は「詩の雑誌」(98－06)という形で見出そうとする。

本当はこの話をするべきではないのだろうが、事実として記述すると、わたしはこの「詩の雑誌」に俗物として協力することを申し入れた。その代わり編集内容にも一切口を挟まないし、もっと言えばmidnight pressを出版社として自立させてほしいと話した。多分季刊で31号までがんばった。しかし今思うと、そのことがかえって幸文さんに過大な負担を強いたのかもしれない。やがてそれは二人にとってキツイ現実となる。彼は現代詩の世界での雑誌運営に限界を知り、わたし自身も社会的な状況のなかで会社運営に行き詰まり始めていた。

よく二人で飲んだけど、つねに「なにか」を見つけようとしていた。そのことにはなにも限界なんかあるわけないと思っていた。

やはり岡田幸文は、高潔のひとである。どれだけ飲んでへべれけになろうともその魂の在り方は崩れることはなかった。

どんな情況に置かれていた頃か覚えていないが、ある日やはり一杯やろうということになって、銀座で待ち合わせ、何軒かはしごした後、まだ話したりなくて西麻布のバーで2時過ぎまで飲んで、もう一軒行こうということになり、幸文さんがどうしても紹介したいという外苑西通りのバーに立ち寄った。その店がどこにあるか今では思い出せないが、それから外苑西通りを四谷まで歩いた。その夜もやはり「なにか」に取りつかれたように、議論し続けた。四谷にたどり着いたときはすでに夜明け近かった。幸文さんは「それじゃ」と手を振って新宿通りを歩き始めた。そのちょっと背中を丸めた後ろ姿は今でも思い出す。

彼は何を探そうとしていたのだろう。いずれにしてもその「なにか」を探し続けるメソッドは誰かに引き継がれなければいけないのだ。

つい数日前、幸文さんの夢を見た。

八王子の家の玄関を出て、左に50メートルぐらい行った道端に巨石が二つ転がっていて、子供のころよく上に乗って遊んでいた。その石に寄り掛かるようにして、幸文さんが黒い皮のジャケットと真っ青なシャツとジーパン姿で立っていた。その姿を見て、おもわず「なんだ、幸文さん生きてたんじゃないか」とあまりの嬉しさに叫んでしまった。その青いシャツと立ち姿の美しさに、目が覚めてから久しぶりに爽やかな気分になっていた。

おそらくこの夢を一生忘れることはないだろう。

赫い光の中へ　井坂洋子

二〇一九年は、私にとって喪の年だった。六月に母が亡くなり、十二月一日には広島の詩人井野口慧子さんが逝き、そして十二月九日に岡田幸文さんが旅立った。

佐々木（安美）さんが知らせてくれたのだが、彼は数年前に妻を亡くしていて、その打撃のためか、岡田さんの病気を知っていたためか、あまり驚いた風ではなく、低い声で呟くように言うので、私はびっくりして大声をだしてしまった。

岡田さんが詩の世界から、いやこの世からいなくなるなんて思いもよらないことだった。

岡田幸文は、書き手としてはあまり目立たなかったように思う。しかし、「詩学」の編集をしたり、ミッドナイトプレスを立ち上げたり、詩なんぞ置き去りにして進んでいく粗い社会の中で詩を支え、詩を止揚する役目を担った稀有な人物の一人だった。

ただ、この言い方を、岡田さんは気に入らないかもしれない。自身が述べた「詩のそばで語り、そして生きる」というシンプルで、しなやかなことば以上のものではない。このことばは、岡田さんの理想とした姿であり、最後まで理想を手放さなかったと思う。

亡くなる前年から個人誌「冬に花を探し、夏に雪を探せ。」を出しはじめ、私のところにも送られてきて、あれ、今頃になってなぜ個人誌を？　と思っていたが、遺稿詩集『そして君と歩いていく』の編集をした山本かずこさんが、巻末に「出すことになった理由の一つは、詩を書きたくなったからだと言っていました」と書いている。

この詩集を読むと「（詩を）作る」ではなく、「（詩を）書く」ほうを選び、貫いた詩人の詩が、ある到達点にゆきついたように思える。三冊の詩集を持つ彼の詩を順を追って見ていきたい。

『あなたと肩をならべて』（一九八二）を恋愛詩集と思ったことはなかったのだが、今読み返すとそんな気がしてくる。冒頭の詩は、黒田三郎『ひとりの女に』にも似た恋の詩だ。女性に対するばかりでない、ビートルズをはじめとする幾つかの歌や曲が、かつての時代の感情のように流れていて、それもまた恋愛に違いない。

この第一詩集に収められた詩が書かれたのは二十代の後半から三十にかけてだろうか。十代であった頃や二十歳《はたち》であった頃の、ただその年齢である輝きを、特別のことのように記し、惜しんで見せているが、それはそうした流行のスタイルであって、そんな必要がないくらい二十歳をとうに過ぎても若さを誇っている。私は『あなたと肩をならべて』が出た当時、沈鬱な表情が少しもなく、一読して納得してしまうような語りに物足りない思いがしたのだが、今はこのような詩篇を第一詩集としたことがちょっぴりうらやましい。

人生のあるいっときだけに許されるようなナルシズムや、決意と欠乏感、若気の欲望が仄見え、酒や歌や夜の舞踏へのヴェールが、風に揺れている。通俗的な言い方になるが、愛のメモ帳のような詩集と言ってもいいかもしれない。一読しただけで流れるように入ってくる易しい（優しい）詩を、私は今こそ書きたいし、書ける時期がきているのかもしれないと思うが、岡田さんは逆に、彼自身の哲学を詩の中に追うようになって難しくなっていった。

『アフターダンス』（一九八九）は、第一詩集より少し苦い味がする。とはいえ、ここでもまだ歌っている。あえて歌おうとしている。カラ元気をつけるように。

唄は
いつだって遠ざかっていき
距離を縮めようとすればするほど
僕の言葉は唄を下降していく

下降の果て
それを　いま
詩
と僕は呼ぼう

（「一九八四年のバラッド」より）

「唄ったように／唄えない」苦しさ、そしてかつて歌っていた頃をなつかしむこと——追想は邪悪だとも言っている。ジレンマに陥ったり、マイナスの感情に支配されそうになると、「サヨナラ」と去っていきたくなる心性を書きつけるが、彼は決して去りはしないのだ。

この詩人の特徴のひとつは、過去が見えないことかもしれない。「いつだってJust nowだけだった」と書いているけれど、過去などというものからふっきれて、突然生まれでたようでいて、そのくせ、もう大昔からこの世にいたのだよという顔で歩いている。

そういえば、この詩人は詩の中で、座禅を組むように歩いている。只管打坐《しかんたざ》をもじって只管打歩《しかんたほ》とでも言ったらよいのか、ひたすら歩くことに打ち込んでいて、散策やウォーキングとも意味合いが異なるものがある。第三詩集の、山本さんが付けた『そして君と歩いていく』というタイトルは、この人の特徴をよく摑んでいると思う。

渋くて、ハードボイルドタッチが際だつ第三詩集だが、雰囲気倒れではなく、何か物を言おうとしている。歩いたり歌ったりしていたのに、いったん止まり、前景と後景を遠くに見て、考えを述べている。アフォリズムのような行も増えている。幾つか書きだしてみたが、そのうちの二つが特に印象に残った。

「歌だけがプログラムをはずれていくのだ」（「理由のない理由を尋ねる」）
「妄執だけが寛容を知っているのだ」（「一九九九年一月十一日、数寄屋橋を往く」）

同じ文型の、前者の方はよくわかる。「歌」を「詩」と入れ替えてもいい。プログラムをはずれていく魅力に、古くから歌も詩も愛されてきた。しかし、後者の物言いは解釈がむずかしい。長いタイトルを持つこの数寄屋橋の詩が書かれた頃、書き手の身の上に何が起きたのだろうか。

この詩は「堕ちることだけが残されている」という一行からはじまり、歌の代わりに念仏が唱えられている。堕ちてゆく者（＝自分）に「回心の契機はあらかじめ失われていた」とも書いている。邪から正への回心など自分には無いも同然、けれどその自分の中の何が己れを救うのかというと、妄執だ、と言っているように思える。この意味合いは深く、私の手に余る。堕ちるだけ堕ちたところで掴んだ真理だろう。

死の一年前より発表された数々の詩には、何かわからぬもの、名づけられぬものが頻々と顔をだす。自分の身もまた同様に、名づけられぬものとなって、うつつの地滑りが起き、白昼の夢の中に半分の身が溶けている。幸いにも詩の主体はそれほど苦しげではなく焦燥に駆られている様子もない。外界の（内界の？）迷子になったようだが、身をどこかに委ねている感じがする。自分の死がどこからやってくるのか、そんなことはわからないのであり、誰しも時空の小舟に揺られているだけだと思う。

私は「川に沿うて」という散文詩が、とても好きだ。やがて万物の形がなくなっていき、赫い光の中に吸収されていくことを淡々と記していて、読んでいて何とも言えない気持になってくる。

岡田幸文の生涯を振り返ることなど到底できないが、その生でもっとも肝心な出来事は何だったのかはわかる。彼の詩にも表されているが、山本かずこに出会ったことだ。「詩のそばで語り、そして生きる」ことを選んだからこそたぐり寄せた幸運なのだと思う。

山本さんの詩集『恰も魂あるものの如く』の「もうひとつの『あとがきにかえて』」という巻末の詩には、格好いい彼の姿が詩化されていて、繊細さと同時に純真さを持って詩の仕事に向かった彼、そして彼女が浮かびあがってくる。繊細さも純真さも、ちょっとひ弱な感じがしてしまうが、そうではなく、ゆらぐことのない堅固なそれだ。

岡田さんはある時ふっと「僕は差別主義者がきらいだ」と言った。どんな話のついでだったのか、たしか脈絡もなく、そう言ったのだと思う。だから覚えているのだ。そりゃあ、そうだけれども、と私は胸の内でつぶやいた。戦争はきらいだ、と同じくらいあたり前のまともなことばであり、言う必要があるのかと思った。

けれども、このことばが信念のようになっている人であった、と今では考える。そしてそれは、まさしく山本かずこさんの信念でもあるのだと思う。それゆえ、岡田さんに言いたいことはただひとつだ。よかったね岡田さん、長い旅の途中で最愛のひとに出会えて、奇跡だね。

なつかしい人　瀬尾育生

岡田幸文さんはなつかしい人だ。いろんな意味でそう言うことができる。

そのひとつは幸文さんが、私たちが詩を書き始めた一九七〇年代はじめのころの若い詩人の姿を、いつまでもとどめている人だったということだ。彼と最初に会ったのは、たぶんその時期の、どこかだったのだろうと思う。だからとてもながい付き合いだったわけだが、そのあいだ私は幸文さんに、素性のようなものを、尋ねたことがなかった。印度哲学をやっていたことなど、亡くなってはじめて知った。

私が名古屋に帰っていた十数年の間も、「詩学」編集者として何度か声をかけてもらった。一九九〇年代にはいって「詩の雑誌 midnight press」が始まってまた、行き来が始まった。連載にさそってくれて、あまり風圧のかからないところで、気ままに書きながら考えを進めてゆく場所を与えてもらった。二〇〇〇年代になると、のちに『詩的間伐』としてまとめられることになる稲川方人さんとの、ながいながい対談の連載が始まる。

思い浮かぶイメージを順番にたどると、その対談の企画のために幸文さんは、まずひとりずつ別に声をかけようとしたのだろう、新宿駅ビルの地下の喫茶室でひとりで私を待っていてくれた。そのときの、まだ黒々としたポニーテールの姿。それが、岡田幸文という名前とともにいまでもすぐ目に浮かぶイメージだ。

対談はだいたい新宿三丁目の町はずれにある、ちょっとうらぶれた感じのホテルの地下室のようなところで行なわれた。幸文さんが山本かずこさんとならんですわっておられて、野口賢一郎さんが写真撮影のためライトなどをセットし、守さち江さんがさらさらと速記の音をさせている。どうしてわれわれの対談にこんなに豪華な陣容がそろったのか不思議だが、毎回おしげもなくページ数も使ってもらった。

対談連載中には、王子でのイベントもあった。稲川さんと守中高明さんと倉田比羽子さんと私がつくった歌詞に二瓶龍彦さんが曲をつけ、祥子さんがすばらしい声でそれをうたった。どうしてあれらの歌がCDになったりして残ってないのか不思議だ。それに続くトークの時間にはキキダダママキキ（岸田将幸さん）の、道場破りみたいな発言もあった。

つぎは二〇一一年の東京堂書店でのイベント。そのための打ち合わせは新宿の真ん中のホテルのレストランだった。彼と私に中村剛彦さんが加わった。詩の話ならなんでも、ということだったので、私はベンヤミンの「言語一般あるいは人間の言語について」などから切り貼りしてつくった資料を渡したのだと思う。それが三月六日のこと。するとその五日後に大震災と原発事故がやってきた。だから私はイベントまでの二週間で、純粋言語と震災とチェルノブイリとハシディズムと陀羅尼真言とハイデガーとをむりやりつなげたストーリーをつくらなければならなくなった。

こんなふうに岡田幸文さんは、私にとってとても強力なオルガナイザー、プロデューサーだった。だがなんとなくひっそり裏方にまわってしまうところがあって、やっと後になって、じつは誰もが幸文さんに支えられていたことにあらためて気づく、といったふうだ。

たぶん詩人としての彼についても、同じようなことが言えるのではないかと思う。遺稿詩集『そして君と歩いていく』を、巻末の初出一覧を見ながら、二〇一九年九月の「土堤の論理」→七月の「偶作」→五月の「川に沿うて」→三月の「海の思い出」→一月の「第二章」というふうに遡ってゆくと、思わず、ここには私たちの世代の、もっとも偉大な詩人のひとりがいる、と言いたくなってくる。

この詩集の全体で、幸文さんが取り組んでいるのは「詩の終わり方」の問題だ。一篇の詩をどう終えるか——そこに現代詩の、というか口語自由詩の、多くの問題が集約される一点があると思う。「終止」の形を定型に預けることができない、ということが私たちの現代詩の困難の、最大のもののひとつだからだ。詩人岡田幸文は最後この問題と取り組んで、最高の達成として「土堤の論理」を残した。

不意に土堤の道を歩いている。引き返すことはできないから、とりあえず河口とおぼしき方向に向かって歩いてゆく。遠くには煙突やコンビナートの建物らしきものが見えている。《なにも考えない／それが歩行の原理であり　土堤の論理であった》。全四連の後半二連は次のようなものだ。

どのくらい歩いただろう
やがて河口らしきものが見えてきた
それはしかし地上と空との境界を目くらますかのように乱反射する光にさえぎられてかたちをなしていなかった
その光に吸い込まれていくように歩いていくそのとき
これは前に一度歩いた土堤であるということに気がついた
たしか一九六九年の冬であった

詩はこれで終わりである。こんなふうに終止してしまう詩を、私たちはこれまで一度も読んだことがないと思う。

詩作品の終止を巡るこうした試行は、いつのまにか自分を存在の裏側に廻らせる——という彼の生き方そのものに、かかわっていたのかもしれない。私たちはまたそれと同じことを、個人誌「冬に花を探し、夏に雪を探せ。」に連載された晩年の良寛論のなかにも、たどることができるのではないかと思う。

さて幸文さん、最後の話題はやっぱりマダム・シルクだね。

この伝説上の酒場は、もしも私のような何の面白いところもない人間にも、短いはみだしもの時代があったとするなら、その時代を包み込んでくれた揺り籠のようなものだった。私がそこに一週間に何度、というほどの頻度で通い詰めていたのは一九七〇年代の半ばから終りにかけてのことだった。夜七時になって青いボトルがテーブルに置かれ、室内照明が蠟燭に変わる、空気が急に暗く、密になってゆくような時刻を、いまでも思いだす。夜が更けて河島英五の「酒と泪と男と女」がながれるときに店中のあちこちで起こる合唱とか、ブライアン・ハイランドのシールド・ウイズ・ア・キスが有線で流れているときに、うっかり誰かジュークボックスをかけてしまってそれを中断すると、店中でいっせいにおこるエーッ⁉という非難の声とか。いずれにしてもそれらは古い話で、だから幸文さんの死に至るまでのマダム・シルク通いとはすこし時期がずれているのだが、私たちは一度も居合わせたことのないままに、あきらかに何か秘密の部分を共有しているわけだった。こんどぜひ一緒に行きましょう、と幸文さんとは何度か話したが、それは果たせない約束になった。

幸文くん、また会おね。

秋亜綺羅

岡田幸文の死は、しばらくして知った。びっくりした。いつでも会えるような気がしていたのに、数年も会っていなかったことに気づいた。

幸文くんには、いつもコウブンくんと呼んでいた。幸文くんとは、72、3年くらいに出会った。その頃、わたしは高取英などと毎月2回以上は朗読会などをしていたので、そこに観客として来ていたのかもしれない。

お互い20歳代前半で、幸文くんは当時、確か月刊「PHP」の編集のアルバイトをしていた。著名人の近況などを書くページを担当していて、詩人としての秋亜綺羅を取材したいと言ってきた。わたしは気軽に応じた。それが雑誌になったのだが、その企画には、有名な俳優やタレントや作家が並ぶ中に、詩人・秋亜綺羅があったのだ。これは、はっきり気恥ずかしかった。

「詩人の代表がぼくなの?」と訊くと、幸文くんは顔色ひとつ変えず「そうですよ」と言った。幸文くんとは時々会うようになり、酒を飲んだ。「詩が好きで好きでたまらない」と話してくれた。「どんな詩を書くの?」と聞くと「詩は書かない。読むだけだ」と幸文くんは応えた。

わたしは27歳で挫折して仙台に戻ったわけだが、どうしても用件があり、上京したことがあった。

その晩、幸文くんと池袋のビジネスホテルの一室で酒を飲んだ。定員1名の部屋なのに、ふたりの話はかなり盛り上がってしまって、周りから何度もクレームが出たらしく、ホテルから何度も注意された。それでもふたりは収まらず、午前3時くらいについに追い出されてしまった。そのあとどうしたのかは、覚えていない。

また、20年ほど前のこと。わたしは詩をやめていたが、高取英の劇団・月蝕歌劇団を観に上京。芝居が跳ねたあと、高取くんとゴールデン街で飲んだ。その時「ミッドナイト・プレス」という詩の新聞を岡田幸文がやっていて、高取くんはそこで人生相談みたいなコーナーを持っていると言って、読ませてくれた。あ、幸文くん、すごいな。と感じた。

その時は、それ以前に幸文くんが月刊「詩学」の編集長だったことなど、まったく知らなかった。それほど、わたしは詩から遠かった。

しばらくして、わたしが再び書き始めたことをどこで知ったのか、幸文くんからすぐに原稿依頼が来た。「ミッドナイト・プレスWEB」4号ということだった。わたしは「秋葉和夫校長の漂流教室」という散文を書かせてもらった。何10年も離れていた詩人を、すぐに迎えてくれる編集者がいたことを、わたしは感動するばかりだった。

数年前、幸文くんに約束をとって、新宿で会ったことがあった。思えばそれが、幸文くんの顔を見た最後の日だった。夜には、高取くんを呼んで3人で飲んだ。みんな、昔ほど元気な飲み方ではなかったが、とにかくうれしくて、うれしくてたまらなかった。その高取くんも、幸文くんより1年前に行ってしまった。

山本かずこから、岡田幸文『そして君と歩いていく』をいただいた。幸文くんは、こんなにも澄んだ詩を書くんだね。涙が勝手に出て来た。

わたしもそっちに行った時には、また仲間に入れてよね。お酒を飲もうね。

岡田幸文アルバム

京都・渡月橋にて　（1982年頃）

軽井沢　谷川俊太郎さんの別荘にて（上）　別荘近くの滝にて（下）
左から谷川さん、川村和夫さん、ウィリアム・I・エリオットさんと（1994年）

本郷鳳明館にて
　（前列左より）平居謙さん、谷川俊太郎さん、正津勉さん
　（後列左より）守さち江さん、山本かずこ、岡田幸文
1999年冬号　「詩の雑誌midnight press」６号

詩の新聞 midnight press 時代　豊島区要町ミッドナイト・プレス社にて
福本順次さん（右)、伊藤康司さん（左）と（1994 年 10 月）

向島百花園にて
小沢信男さん（左）、辻征夫さん（右）と（1991 年頃）

高知にて（1983 年頃）

「立原」にて
（前列右より）川上春雄さん、吉本隆明さん、ハルノ宵子
（吉本多子）さん（1996年頃）

吉本隆明さんのご自宅にて　詩の新聞 midnight press の取材（1997 年）

立教通り時代のマダム・シルクにて　眞田幸子さんと (1995 年)

立教通り時代のマダム・シルクにて。藤井孝さんと (1995 年頃)

高知にて（1984 年頃）

京都先斗町にて（1985 年頃）

文京区西片のマンションにて（1982 年頃）

インド旅行中、ホテルにて（1993 年 9 月）

池袋ライオンにて（2002 年）

いわき市で宿泊した古滝屋前にて（前列左から）里見喜生さん（古滝屋）、岡田、山本、三原由起子さん、宮尾節子さん、（中列左から）古沢健太郎さん、古屋友章さん、（後列左から）玉城入野さん、浅野言朗さん、中村剛彦、小林レントさん（2015年1月12日）

渋谷の居酒屋にて　（左より）小林レントさん、岡田、古沢健太郎さん、玉城入野さん、中村剛彦、中西・ホーリー・三助さん、三原由起子さん、浅野言朗さん（2015年）

本牧ゴールデンカップでのイベントにて
（左から）浅野言朗さん、水島英己さんと（2015.12.26）

川崎洋さんの墓前にて（2014年8月）

伊藤康司さん、早苗さんご夫妻と（2013年6月23日）

井上輝夫さんの墓前にて　八木幹夫さんと（2016年12月）

五月女素夫さんとBIG ECHOにて（2017年9月）

BIG ECHOにて（2017年9月）

中岡慎太郎生家にて　酒井正信さんと（2017年10月）

京都鴨長明方丈にて（2015年8月3日）

法隆寺の回廊にて（2015年8月）

出雲崎良寛堂にて（2019年4月）

沖縄斎場御嶽にて（2017年夏）

軽井沢にて（ジョンが歩いた場所　2019年9月）

記念撮影新宿写真館（1985年頃）

岡田幸文略歴

一九五〇年（昭和二十五年）七月二十九日、京都下鴨神社そばの母の実家で生まれる。
一九七七年三月　東京大学文学部印度哲学科卒業。在学中より、詩学社に出入りする。
一九八六年十一月一日　山本かずこと結婚。
一九八三年―一九八八年「詩学」編集長。
一九八八年三月二十二日　詩の出版社ミッドナイト・プレスを創立。
一九八九年―一九九八年「詩の新聞 midnight press（全二十一号）」を発行。
一九九八年―二〇〇六年「詩の雑誌 midnight press（全三十一号）」を発行。
二〇一二年―二〇一五年「midnight press WEB（全十三号）」を発行。

詩集
『あなたと肩をならべて』（いちご舎、一九八一年十二月八日）
『アフター ダンス　after dance』（ミッドナイト・プレス、一九八九年七月十五日）

個人誌
「新表現人（全五号）」（一九七七年―一九七九年）
「DANCE!（全七号）」（一九八六年一月六日―一九九五年三日二五日）
「冬に花を探し、夏に雪を探せ。（全十一号）」（二〇一八年一月三〇日―二〇一九年九月三〇日）

無題のアリア
――〈creatio ex nihilo〉のための

岡田幸文

鳥が飛んでいる　花が咲いている
その鳥の名も　その花の名も　知らぬまま　私は今日まで生きてきた
でもあの人が帰ってきたら鳥の名でも花の名でもなんでも知ることができる
　でしょう
あの人は私になんでも教えてくれるから

だれ！　その陰に隠れているのは？

「知らなくてはいけないことはほかにある」

そうささやくのはだれ？

いいえ　私が知らなくてはいけないのは
あの空を高く飛ぶ鳥の名です
この足元に咲く小さな花の名です

ほら　あの人が帰ってくる
あの人は私になんでも教えてくれるでしょう
鳥の名や花の名を
そして私がもうひとりではないことを

編集後記　一（midnight press WEB　No.14〈二〇二〇年八月二四日発行〉より

○気がつくと年が明けていました。

　わたしは、川越街道沿いにある文教堂に行き、二〇二〇年（令和二年）のスケジュール手帳を買いました。いつも岡田が使っていたものと同じ仕様のものを、いくつか手にとり、選んだのです。細身の、紺色のものでした。いつもの年と同じようにしたいとおもったのです。

　その手帳を、わたしたちがいつも向かい合い座っていた、リビングの中央にある、大きめのテーブルの、岡田の席に置きました。ただし、これまで岡田が手帳に書いていたのは、自分の予定というよりは、まずは、わたしの予定でした。

　「きょうの君のご予定は？」

と朝になるとたずねます。

　わたしは、わがままな人間です。その言葉によって、一日が縛り付けられるような気持ちがして、しぶしぶ予定を述べていました。

　けれども、岡田は一日も欠かさずたずねてきました。

　「君のきょうの予定を述べよ」と。月のはじめなら、「君の今月の予定を教えて」と。それが、日課にもなっていました。わたしはその都度、けっして協力的とは言えない態度で、応えていました。

　なぜ、わたしの予定を手帳に書きこむのか。岡田には、切実な理由があったことを、のちに知ります。

　岡田は、わたしの健康をいつも気にかけてくれていました。これも、岡田自身が病弱なので、わたしに対しても健康に気をつかってくれていたのだとおもいます。一方のわたしは、病気という病気をこれまでしてこなかったこともあり、自らの健康に無頓着でした。

　お味噌汁もよく作ってくれました。昆布で出汁をとるという本格的な作りかたでしたが、中に入れる具もわたしの好きなものを選んでくれました。なめこと絹ごし豆腐の具でよく作ってくれました（岡田自身は木綿豆腐の方が好きでした）。

　「君の好きなものを買ってきても、出かける日と重なったりして、食べてくれないときがあるからね」

ある日のこと、ひとりごとのように言いました。そのためにも、わたしの予定を知る必要があったのでしょう。わたしは感謝知らずの人間なのです。

すべてにおいて、自分よりもわたしのことを心配してくれた岡田です。その岡田が、いまはそばにいないなんて、わたしには考えられません。

わたしがいつもの年のように岡田のスケジュール手帳を買いに行き、いつもと同じようにふたりで向かい合って座り、朝のホームルーム（この言葉は岡田が好んで使っていたものです）をする。

この時間がなければ、わたしは一日をどうやってやり過ごしていいのか、わからない。

目の前に座っている（はずの）岡田に、いまは自らすすんで一日の予定を話します。

「今日は、月命日だから、夜はビールで乾杯しようね。コーブンの好きな麒麟ビールを買って来なくちゃ」

岡田がいまも目の前でわたしにたずねているとおもわなければ、わたしは生きていけない、のです。

今年のはじめ、買ってきた手帳には、岡田の誕生日とわたしの誕生日、そして、はじめて出会った記念日をまず書きこみました。

でも、それは岡田の文字ではなく、わたしの文字。なんと、つまらない文字かとおもいます。

＊＊＊

岡田のことをおもい、岡田のことをお書きくださったみなさまに心より御礼申し上げます。

第一号に巻頭詩ならびに追悼文をお寄せいただいた八木幹夫様、小林レント様、里中智沙様、菅間勇様、五月女素夫様、平居謙様、福本順次様、渡邉一様、追悼の演奏をしていただいた稲垣慎也様、ありがとうございます。

さらに、この「岡田幸文追悼文集」を、ご自身も辛いお気持ちのなか、ひたすらまとめあげてくださったミッドナイト・プレス副編集長（臨時復活）中村剛彦様、ありがとうございました。岡田に代わり、御礼申し上げます。（ミッドナイト・プレス 山本かずこ）

編集後記　二（midnight press WEB　No.15〈二〇二〇年十月三〇日発行〉）より

○岡田とのホームルームを終えて、ぼんやりしていると、あっという間に一日が終わるのは、わたしにとって、なんとありがたいことかとおもいました。一日がはじまったとおもったら、あっという間に終わる。この「あっという間」を積み重ねていけば、「あっという間」にわたしの一生も終わるはずだ。
「君は百歳まで元気に生きるよ」

　岡田は、そんなふうに言って、わたしの顰蹙を買うのをたのしんでいたところがありました。もしも、百歳まで生きるとしたら、これまで岡田と一緒に暮らした年月とたいして変わらない年月を、たった一人で生きる計算になります。とんでもない、とおもいます。

　何も考えられず、何も考えたくない頭の状態で、わたしの身近にある三十年という単位を無造作に並べてみました。

　ミッドナイト・プレスを二人で創立したのが、一九八八年だから、約三十二年。

　わたしたちが利用したダイエー成増店が、二〇一九年、十二月三十一日をもって約三十一年間の営業を終了（特に岡田は、地理的には近い西友よりも、ダイエーをひいきにしていた。これは、その昔、ダイエーの仕事をしたからなのか、何らかの恩恵を受けた者のように、街から文房具店が姿を消したあとは、筆記用具の類いもダイエーで買っていた。わたしがアマゾンを利用しても、最後まで、ダイエーに出かけていた）。

　二〇一九年夏、三十一年間お世話になった同い年のK税理士さんから廃業のお知らせが届く。

　さらに、一九八九年に始まった「平成」が二〇一九年四月三十日で終わった。三〇年である。

　それにしても、二〇一九年（令和元年）に、なぜ、こんなにも次々と終わらなければならないのか……。


　たしかに、「あっという間」を積み重ねていけば、三十年も終わるだろう。わたしは、自分にそう言い聞かせようとしました。そうしたある日、終わる前にやらなければならないことはたくさんある、と誰かに言われたような気がしました。

押し入れから、段ボールを引っぱりだしました。三十年間そのままになっていた「詩学」の雑誌です。バックナンバーが揃っているかどうかもしらないまま、わたしは岡田の書いた「編集後記」を読み始めた。何も読むことのできない頭の状態にあって、岡田の書いた「編集後記」だけは読むことができたのです。ここには岡田が生きていました。次にわたしは、「編集後記」の打ち込みを始めました。打ち込むうちに三十代はじめの岡田が何を考え、何を大切にしていたかが次々と見えてくるのでした。岡田は、その間、ただただ「詩」のことをわたしに話しかけてくれる。わたしは、もっと、もっと話してほしい、とおもいました。何も入ってこない頭の状態であっても、岡田のことばは入ってくる。しかも、いまなお息づいていて、こんなことを考えたんだよ、とわたしに話しかけてくれるのです。

＊＊＊

十月十九日、第五十八回歴程賞が発表され、岡田幸文の詩人、編集者としての詩壇への功績と詩集『そして君と歩いていく』が選ばれました。贈賞理由として、「岡田幸文氏は詩人というより、詩を生きる編集者だった。鋭く優しい目で一篇の詩、一人の詩人を求めてきた。「詩学」の編集長時代から、無名の優れた詩人を多く見出し続けた。詩を愛する読者に向かって、詩を生きる一編集者として語りかけてきた。「詩学」以後も「詩の新聞 midnight press」として、また「詩の雑誌 midnight press」として、ついには「midnight press WEB」として、詩の出版の方法論を模索し、その最前線にいた。日本の詩壇の流れを作る一人であったことは間違いない。没後に出された詩集『そして君と歩いていく』の中の作品群には、なんの気負いもなく、澄んだ言葉で、すっと読者の心に入ってくる詩が並んでいる。この爽やかな詩は、これから歩きはじめる若い詩人たちと共にあるだろう。」（「プレス・リリース　歴程賞決定のお知らせ」より）

とあります。すぐれた「一篇の詩」を世に伝える「仕事」をひたすら続けた岡田に、真っ直ぐな光が届いた瞬間を感じました。岡田に代わり、心から御礼を申し上げます。

八月に発行の、岡田の追悼文集に続いてweb版の第二号となります。

岡田のことをおもってくださり、これ以上はのぞめない、完璧な書評、お心のあるお言葉をいただきましたみなさま、ほんとうにありがとうございました。

（ミッドナイト・プレス　山本かずこ）

○気づけばもう二〇二〇年も年末に近づいてきた。ということは岡田さんが世を去ってもうすぐ一年が経つことになる。不思議な一年であった。

世界はいま未曾有の禍に見舞われている。人類はいま何を試されているのか、そして詩人はいま何を試されているのか、岡田さんに問いたい思いが募る。きっとほろ酔いの岡田さんはマダム・シルクのいつもの席で、しばらく天井を見つめたあと、右手をパッと開いてこう言う。

「All you need is love.!」

岡田さんに倣って、この「you」を「詩」に置き換えてみる（midnight press WEB N0.15 21頁）。そうだと納得する。岡田さんがよく発したこのような英語の決め台詞は、いつも自分を原点に立ち返らせてくれる。

前号ならびに今号にご執筆いただいた皆さま、貴重な写真やお手紙を掲載させていただいた皆さま、ありがとうございました。ウェブ版の追悼特集はこれで一区切りとなりますが、しばらくして紙媒体での追悼文集を出す予定ですので、その際にはまたお世話になるかと思います。何卒よろしくお願いします。

いま編集を終え、ウィスキーを飲みながら岡田さんと山本さんの詩集を机の上に並べて、ジョン・レノンがビートルズ解散後に結成したプラスティック・オノ・バンドの最初の二枚同時発売アルバム「ジョンの魂」と「ヨーコの心」を聴いている。哲学的に深みへと内向するジョンの歌と、ことばの限界を超えて時空を自在に羽ばたくヨーコの声、どちらも最高のパフォーマンスだ。それでふと、ぼくがこのバンドのメンバーなら誰だろうと考えてみて、思い出すのは八年前のmidnight press WEB創刊号の「あとがき」だ。長いけれど引用してみます。

「〇私は縁というものを大事にしている。古臭いと言われるが性分である。十年ほど前にミッドナイト・プレスから初めての詩集を出して以来、岡田さんとはお酒をよく飲んだ。大抵は私が一人で眠りこけてしまうのであるが、ふと目覚めると静かに岡田さんは詩や哲学の本を読んでいるのである。

詩に賭ける人生とは何であろうか。これまで多くの詩人たちが詩に人生を賭けて死んでいった。彼らの作品に感動し、私も詩人になりたいという欲求を持ち、そして詩を書いてきた。しかしどうやら私には詩に人生を賭ける覚悟が足りなかった。あれほどに憧れていた詩人にはなれなかった。

しかし、私の目の前で、いまも詩を求め、真に詩人と呼びうる存在を見出し、詩に人生を賭けている人物がいる。私は勇気が湧いてきて、酔った勢いでこう述べる。なるほど「現代詩」というジャンルは存在し、あまたの「現代詩人」は存在するが、はたして彼らのうち何人が「詩人」であるのか。「詩」を書いているのか。

私が自ら「覚悟」と呼んだものは、彼らのように生きるためではなかった。私が憧れつづけた「詩人」とは、いわば絶対的な、根源的な、忘我的な、そして宇宙的かつ超歴史的な存在であった。つまり大ばか者であったわけである。

ようやく人生半分を過ぎて気が付いたのである。「詩」を生きるとは、「詩人」になることがもはや不可能であるという虚無感を抱きながら、それでもなお詩を見出さんとすることの喜びであると。

岡田さんが長く見出してきた詩の道を、私もそのような覚悟でもって支えたいと考えている。一度きりの人生を何に賭けたらよいか、「詩」は一体どこにあるのか、まだまだ学ぶことはたくさんある。

（中村）

○「詩の雑誌 midnight press」を休刊して六年が過ぎた。振り返れば、いろいろなことがあった。そして、二〇一一年三月十一日の東日本大震災から一年が経ったこの三月十六日に、吉本隆明氏が亡くなられた。「わたし」の時間と「わたし（たち）」の時間とが幾重にも折り重ねられて、いまがつくりあげられていることにあらためて気がつかされる。

詩とはなんだろう……？ いまの僕には、「でもね、ドガ、詩はイデーじゃなくて、ことばでつくるものなんだ」というマラルメのことばが沁みる。なるほど、いま、詩らしきもの、あるいは、詩のようなもの（つまり、「ポエジー」？）を目にする機会は少なくないが、ことばで書かれた一篇の詩が目に飛び込んでくるという経験はいまや稀となったという感を深くする。あてどころもなく拡散していく「ポエジー」に対して、凝縮の精神が生む一篇の詩が立つ場所にあらためて立ち返りたい。そう考えて、このたび、midnight press WEB（隔月刊）を創刊することにした。凝縮は、もとより個に、孤に、こもることではない。沈黙が、ことばに対する行為であるように、凝縮もまた拡散に対する行為である。「詩の雑誌 midnight press」創刊号では、「主題は『一篇の詩』に尽きる」と書いたが、いまはそれに次のことばを加えたい。

「いま、わたし（たち）にとって、詩とはなにか。いま、世界現実にとって、詩とはなにか。そして、いま、ことばにとって、詩とはなにか。――それを考え続けるのが、midnight press のミッションである」

中村剛彦とはじめて会ったのは二〇〇三年のはじめであった。彼の協力を得て、新しい旅を始めることにした。ザ・ビートルズの歌が聞こえてくる。I get by with a little help from my friends. Yes I get by with a little help from my friends. もちろん、この I は We でもあり、my は our でもある。どこまでいけるかわからぬが、とりあえず、わたし（たち）は、始めることにした。

（岡田）」

岡田さんがここで述べているビートルズの曲はリンゴ・スターのものだ。そしていま聴いているジョンとヨーコのアルバムでもリンゴがドラムを叩いている。ふたりの共振する魂の声に、リンゴもまた魂のリズムで応えている。これを聴いていると、ビートルズのメンバーのなかでリンゴがもっともジョンとヨーコのうたを、〈愛〉を愛していたと思えてくる。だからぼくはリンゴ・スターでありたいと思う。今までも、これからも。それでいいですか。岡田さん。

「Yes! Come together!」

（中村）

編集後記　三『ただ、詩のために——岡田幸文追悼文集』あとがき

かつて刊行の『日日草』のなかで、ムイシュキン侯爵について書いたエッセイがありますが、この追悼文集で三人もの方が触れてくださっていました。いったい、わたしがどんなことを書いていたのか（初出は、一九九六年十一月初めからその年末にかけての「高知新聞」連載記事）、第二章に転載させていただくことにしました。

岡田と出会った頃といえば、二十代の終わり。そのときに、わたしが強く思ったのは、この人を守らなければいけない、ということでした。そうしないと、この人は死んでしまう（殺されてしまう）、ということでした。

死とは、肉体の死とは限らない。魂が凌辱され続ければ、肉体は生きていても死んでいると同じことになるのだから、と。

これまでわたしが出会ったどんな人ともちがう人

だ、と出会ったその日からわかったのも、わたしの直観でした。その頃のわたしは、自らの直観だけが頼りでした。だからこそ、目の前にいる、相手のちょっとした目の動きも見逃すことはありませんでした。

そして、この人が他の人と違うのは、そのちょっとした動きがまるでなかったことでした。無防備。わたしの前で完全に無防備だったのです。そして、それは、わたしの前にいるときに限らないはず。誰といるときも変わることのない、魂の深いレベルでの無防備であり、無邪気であり、無垢である、と直観したのです。さらに、この人を守ってあげられるのは、わたししかいない。そうでなければ、この人は、生きていけない。

この人を守ってあげたい。ただただそう思ったわたしですが、いまならわかります。わたしは一生を岡田によって守られてきたのでした。

岡田は、自己の道を内面的に貫き通すという、そのことにおいては、けっして揺るがない、本質的な強さをもっている人でした。ただ、自分の道を生きれば生きるほど、生きるための過酷な現実が襲いかかってくる。どこにいても、どんな仕事をしても、どんな人と会っても。

「守る」と言いながら、「守る」ことができなかった、と自らの無力に打ちのめされる日々のなかで、或る日、気づいたのでした。岡田を守り切れなかったのではなく、「守る」ことは、やっと、今から始まるのではないのかと。

ダンテは言っています。

「愛とは
愛されれば
愛しかえさずには
いられないもの」

＊

岡田幸文追悼文集の第一章、第二章は、二〇二〇年に「midnight press WEB No.14」（８月24日）「midnight press WEB No.15」（12月８日）として、小社ホームページに掲載させていただいた文章を元に、収録いたしました。また、第三章は、このたび、一冊にまとめるにあたり、あらたにお書きいただいた追悼文です。

岡田のことを真に思い、そのお気持ちを寄せていただいたみなさまに心よりお礼申し上げます。

二〇一九年十二月十四日には、岡田のお別れの会を浮間舟渡で行いました。年末のご多用のなかを、岡田のためにお集まりいただきましたみなさま、感謝申し上げます。

当日、これが、岡田の出版記念会であったら、どんなによかったことかと何度も思ったことでした。

最後になりましたが、岡田幸文追悼文集刊行の先頭に立ち、みなさまのお気持ちをまとめあげてくださった、中村剛彦副編集長（臨時復活）、岡田の良き理解者であり、校正のパートナーであり続けた伊藤康司さん、今回も大変お世話になり、ありがとうございました。文字の配置なども「岡田さんなら、美しさにこだわるはずだから」と、お力を貸してくださいました。お二人に心よりお礼申し上げます。

そして、お名前をあげることはいたしませんが、たくさんの方たちのお気持ちに支えられて、書籍刊行に至ることができました。ほんとうにありがとうございました。

二〇二一年七月二十九日
（岡田幸文、七十一歳の誕生日に）
岡田和子（山本かずこ）

岡田さんが世を去ってもうすぐ二年になろうとしています。この間、新型コロナウィルスのパンデミックで世界は大きく変節しましたが、本追悼文集の全ての心のこもった追悼文を何度も読みなおしているうちに、もしかしたら世界は変節したのではなく、元に戻ったのではないか、という思いが強くなってきました。その「元」とは、未知の感染症につねに晒されてきた長い人類史と詩の歴史です。たとえば岡田さんが詩の道を歩みはじめた一九六〇年代、ハンセン病患者の事実上の隔離政策はつづき世間の偏見は強かったけれども、優れた文学が患者の手によって書かれた。もっと遡れば、岡田さんが生まれた昭和二〇年代、結核はまだ不治の病で「国民病」と呼ばれ恐れられていたが、岡田さんが愛しつづけた中原中也や私が追求してきた立原道造は結核で夭折した詩人だ。しかし病と戦いながら綴られた彼らの詩は時を経てなおいっそう光を帯び生きつづけている。あたかも現実の生の不条理の苦しみが深ければ深いほど、その詩が輝くかのように。

そしてまた、いつの時代にも国家権力は「国家の危機」の名の下に人々を犠牲にし自らの力を保持してきました。いまのコロナ禍の日本の権力者たちも然りです。これは政治権力だけにとどまらないことは言うまでもありません。岡田さんの生き方は、そうした権力の犠牲となる人々の心の根っこの部分につねに同期していたように私には思え、その根っこから芽を出す詩をいつも探していたように思う。そしてその小さな芽を見つけたとき、岡田さんは自分の姿を消して、ただその詩が花開くように透明な水を注ぎ大切に育ててきた。きっと、そのような花が一輪でも多くこの地上に咲けば、不条理に苦しむ人々が生きていくに値する世界が必ず開けると信じていたからであろう。だからいまの未知の感染症に覆われた世界にあっても、これまでと変わらずに詩の芽を探しつづけたと思う。

本書のすべての執筆者の言葉は、そんな岡田さんの徹底した利他的な生き方を物語っています。そしてそれがいかに困難で、偉大なことであるかも物語っています。みなさま、ありがとうございました。

本書が多くの人に、特に若い人に届き、岡田さんの詩心を受け継いでくれる人がひとりでも多く生まれ出てくれることを望みます。詩が咲かない世界に未来はないのだから。

二〇二一年八月三十一日

中村剛彦

著者プロフィール

青木孝太（あおきこうた）
一九八五年生れ。研究者崩れの高校教員。

秋亜綺羅（あきあきら）
一九五一年生。仙台市在住。詩集に『透明海岸から鳥の島まで』『ひよこの空想力飛行ゲーム』など。エッセイ集『言葉で世界を裏返せ！』。絵本『ひらめきと。ときめきと。』（柏木美奈子共著）。歴程同人。日本現代詩人会会員。

浅野言朗（あさのことあき）
建築家・詩人。一九七二年東京都生まれ。

井坂洋子（いさかようこ）
一九四九年、東京生まれ。詩人。評論・エッセイ集『永瀬清子』『詩の日 詩の耳』『はじめの穴 終わりの口』、詩集『地上がまんべんなく明るんで』『箱入豹』『嵐の前』『七月のひと房』など著書多数。新刊に『犀星の女ひと』がある。

石館康平（いしだてこうへい）
一九三七年北海道生れ。大阪大学大学院理学研究科博士課程修了・理博。国立予防衛生（現感染症）研究所にて十七年間、米国コネチカット大学医学部にて十六年間、細菌細胞膜の生成機構の研究に従事。詩集『時の川べりで』（原人舎）、『最後の抱擁』（ミッドナイト・プレス）。訳書にケラー『動く遺伝子』（晶文社）、サックス『レナードの朝』（晶文社）など十一冊。

伊藤康司（いとうこうじ）
一九四四年東京生まれ。フリー編集後現在細々と校閲ボーイ。個人的に繰返し読むのは吉村昭氏や半藤一利氏の本など。

伊藤早苗（いとうさなえ）
一九四五年九月山梨石和生。トランジスタラジオFEN深夜放送プレスリーからビートルズで育ったアプレ・ゲール。現在は当時出会った詩 堀口大学訳「ミラボー橋」を座右に、CD深夜シャンソンを愛猫とともに。

井上弘治（いのうえこうじ）
一九五三年十二月生まれ。東京都出身。法政大学・日本文学科中退。ダンクグループ代表取締役。著書に『月と遍歴』（七月堂）、『月光懺悔』（midnight press）、『ムーンライト・ラスト』（同前）、『約束』（同前）、『かなわぬ恋の構造』（駒草出版）がある。

大沼悠（おおぬまゆう）
一九八七年生。山口県出身。中村剛彦主宰「ナラティヴナラティヴ」参画。

小川三郎（おがわさぶろう）
一九六九年神奈川県生まれ。神奈川県在住。詩誌「repure」「Down Beat」「モーアシビ」「ハルハトラム」同人。二〇〇五年に第一詩集『永遠へと続く午後の直中』上梓、その後の詩集に『流砂による終身刑』『コールドスリープ』（第四十三回横浜詩人会賞受賞）『象とY字路』『フィラメント』『あかむらさき』がある。

小沢信男（おざわのぶお）
一九二七年東京新橋生まれ。作家。日本大学芸術学部卒業。

在学中「江古田文学」掲載の「新東京感傷散歩」を花田清輝に認められ、新日本文学会に入会。以後、小説、詩、俳句、評論、ルポルタージュなど多ジャンルにわたる執筆活動を展開。『裸の大将一代記――山下清の見た夢』『ぼくの東京全集』『暗き世に爆ぜ』ほか。二〇二一年三月三日死去。

笠貫良（かさぬきりょう）
昭和五〇年十月二十三日生まれは個人情報。並んで食うほどでもない定食のような歌をうたっておりました。褒められるのは苦手でありますが、褒められるようなことは一切しておりません。現在、ロックの世界では打ち首といわれている管理職をやっており完全無欠の体制側の人間です。働かざる者食うべからず！

兼子利光（かねことしみつ）
『パゾリーニの生と〈死〉』（二〇一九、ミッドナイト・プレス刊）、パゾリーニの映画論を中心とした「映画と詩のあいだ」をミッドナイト・プレスに連載中。

川岸則夫（かわぎしのりお）
群馬県前橋市生まれ。現在高崎市在住。詩集『出来事』（七月堂）『ロマネスク』（七月堂）など。評論集『ハンサムな、詩学。』（詩学社）。現在、詩誌『詩的現代』（第二次）にて、詩集・詩書評を担当。

川津望（かわつのぞみ）
一九八六年三月生まれ。詩と音楽を志す。詩集に『ミュート・ディスタンス』（七月堂）。

久谷雉（くたにきじ）
一九八四年生。詩集『昼も夜も』『ふたつの祝婚歌のあいだに書いた二十四の詩』『影法師』。

小林レント（こばやしれんと）
一九八四年生まれ。恍惚の宿木、ミッドナイト・プレス、埃風、界遊、詩誌84、湊、moya、暗渠などに参加。第一詩集に『いがいが』（midnight press刊）。高円寺で呑んでいると脳出血により半身不随に。第二詩集『原ッパニテ』はnoteにより刊行。

笹原玉子（ささはらたまこ）
歌誌「玲瓏」会員。歌集に『南風紀行』『われらみな神話の住人』『偶然、この官能的な』、詩集に「この焼跡の、ユメの県《あがた》」

里中智沙（さとなかちさ）
愛知県生まれ&在住。詩集『鏡界から』『夢の浮橋、わたる』『手童（たわらは）のごと』『花を』。同人誌「幻市」を経て九四年より個人誌「獅子座」を不定期発行中。その間、「ガニメデ」にも、終刊（二〇一七年）まで二〇年ほど参加しました。

眞田幸子（さなださちこ）
昭和十八年山形県酒田市生。マダムシルク。昭和四四年（一九六九年）から令和二年（二〇二〇年）八月十五日閉店。

柴田千晶（しばたちあき）
一九八八年第5回現代詩ラ・メール新人賞受賞。詩集『空室1991-2000』（ミッドナイト・プレス）『セラフィタ氏』（第40回横浜詩人会賞受賞）『生家へ』（以上思潮社）他。句集『赤き毛皮』（金雀枝舎）。共著『超新撰21』『再読・波多野爽波』（以上邑書林）。映画脚本「ひとりね」。

清水麟造（しみずりんぞう）

一九五〇年、静岡県生まれ。詩集は『ボブ・ディランの干物』（開扇堂）など。『なめくじキーホルダー』（灰皿町）などの幻想小説や『清水鱗造批評集時評編』（灰皿町）などの批評も執筆。

正津勉（しょうづべん）
一九四五年、福井県生まれ。詩集『奥越奥話』（アーツアンドクラフツ）、エッセイ『つげ義春「ガロ」時代』、『つげ義春「無能の人」考』（作品社）。

菅間勇（すがまいさむ）
一九五〇年、東京生まれ。菅間馬鈴薯堂代表。

瀬尾育生（せおいくお）
詩人。一九四八年名古屋生まれ。名古屋工業大学、東京都立大学などに勤務した。詩集に『DEEP PURPLE』『アンユナイテッド・ネイションズ』など。詩論集に『戦争詩論1910 - 1945』『吉本隆明からはじまる』など。詩集『暮鳥／草稿』を近刊準備中。

芹沢俊介（せりざわしゅんすけ）
一九四二年東京生まれ。評論家。残っているエネルギーを小出しにして、もうしばらくは度し難い自分と付き合いたいと願っています。『歎異抄』の親鸞は、この課題の遂行に、じつに根気よく寄り添ってくれるのです。

芹沢美保（せりざわみほ）
十年ほど前に短歌に出会い、このごろ読むこと作ることがようやく少し面白くなってきたところです。東京生まれ。ハンドベル奏者。

そとめそふ（五月女素夫）
一九五〇（昭和二十五）年、浦和（現さいたま）市生まれ、在住。美術大学を卒業後、展覧会のディスプレイ・グラフィック制作会社の営業部に勤務しながら詩を書く。一男一女の父。五月女素夫の名で、詩集『美しきラア』『ふじいろの木にのぼる』『木の衝立』『その月の森のさきは』『月は金星を釣り』、そとめそふの名で、詩集『卵のころ』がある。

高鶴礼子（たかつるれいこ）
一九五五年生。時実新子の一句に衝撃を受け、川柳を始める。二〇〇五年、川柳誌「ノエマ・ノエシス」を創刊・主宰。全日本川柳協会常任幹事。日本詩人クラブ、日本文藝家協会、日本ペンクラブ各会員。句集『向日葵』『ちちちる野辺の』、詩集『曙光』『鳴けない小鳥のためのカンタータ』、新子・鶴彬関連の論考等著作多数。

谷川俊太郎（たにかわしゅんたろう）
一九三一年、東京生まれ。詩人。一九五二年第一詩集『二十億光年の孤独』を刊行して以来、散文、絵本、作詞、翻訳、脚本など幅広いジャンルで、活躍。常に現代詩の第一人者として疾走しつづける。二〇〇〇年七月、「midnight press」の揮毫を新宿ワシントンホテル会議室「高尾」にてお書きいただく。「詩学」「詩の新聞」「詩の雑誌」などを通じて、岡田の活動を支えてくださる。岡田幸文の終生尊敬し続けた詩人である。

玉城入野（たまきいりの）
一九六八年東京都日野市生まれ。詩歌・文芸出版社「いりの舎」代表。「語り」のウェブサイト『ナラティヴ ナラティヴ』に「映画の地層」を、『みらいらん』に「散文のふるさと—島尾敏雄における福島／東北」を、それぞれ執筆。著書『フィクションの表土をさらって』（洪水企画）。

中西・ホーリー・三助（なかにし・ほーりー・さんすけ）　一九八七年生まれ　経歴特になし。二〇一三年頃よりミッドナイトお茶会に参じ、その運営等にも少し、携わる。これを縁に、死んだ目（The Dead Eyes）や月蝕歌劇団、ナラティヴ ナラティヴに参加した。

中村剛彦（なかむらたけひこ）　一九七三年、横浜生まれ。元ミッドナイト・プレス副編集長。慶大在学中に故井上輝夫先生に出会って以来師事。井上先生の紹介で岡田さんと出会う。詩集『壜の中の炎』（二〇〇三）、詩集『生の泉』（二〇一〇、ともにミッドナイト・プレス）、共著『半島論　文学とアートによる叛乱の地勢学』（響文社、二〇一八）。「語り」のウェブサイト「ナラティヴ　ナラティヴ」並びに朗読ユニット「死んだ目」主宰。生前の岡田さんと刊行を計画していたが叶わなかった、ミッドナイト・プレスホームページの連載詩論「甦える詩人たち」をミッドナイト・プレスから刊行予定。

中村文昭（なかむらふみあき）　詩人。一九四四年北海道旭川生まれ。えこし会主宰。「歴程」同人。詩集に『物質まであと何歩？』（詩学社）、『オルフェの女』（ノーサイド企画室）他。評論に『舞踏の水際』、『童話の宮沢賢治』、『現代詩研究（明治・大正・昭和・現代）』（全四巻）、『「土方巽」研究序説』ほか。

二沓ようこ（にとうようこ）　一九六〇年福岡県生まれ。福岡市在住。詩と批評「九」（北川透・山本哲也編集）同人等を経て、現在、文学批評「敍説」同人。『火曜サスペンス劇場』（ミッドナイト・プレス）で福岡県詩人賞受賞。時代の波に埋もれた女性探偵作家の発掘と再評価等の評論活動で福岡市文学賞受賞。「レディに捧げるミステリ小説」「詩人に捧げるミステリ小説」「みすてりい歳時記」等のエッセイを新聞雑誌に連載。

根石吉久（ねいしよしひさ）　一九五一年長野県生まれ。「詩の新聞 midnight press」「詩の雑誌 midnight press」などに連載執筆。著書に、詩集『人形のつめ』、随筆『根石吉久の暮らしの手帳』（ミッドナイト・プレス刊）ほか。

根本明（ねもとあきら）　一九四七年、宮崎県生まれ、千葉市育ち。一九八六年、瀬沼孝彰らと同人誌「ＨＯＴＥＬ」創刊（現「ｈｏｔｅｌ第2章」）。詩集『未明、観覧車が』（二〇〇六年、七月堂）、『海神のいます処』（二〇一五年、思潮社）など。日本現代詩人会、日本詩人クラブ、千葉県詩人クラブ、千葉市詩話会、各会員。

平居謙（ひらいけん）　一九六一年京都生まれ。詩人・平安女学院大学国際観光学部教授。「ミッドナイトプレス」では谷川俊太郎×正津勉との鼎談を皮切りに「ごきげんPOEMに出会いたい」と題した若手詩人へのインタビューを数年連載。ミッドナイトプレス刊詩集として『基督の店』（二〇〇一年）。

平井るみ子（ひらいるみこ）
一九五一年北海道生まれ。二十三歳の時、マダムシルクで平井弘之と知り合い、二十五歳で結婚、二女を設ける。長女麻畝（まほ）、二女萌香（もえか）の家族とこれからも、命日など、平井を中心に仲良く過ごしていきたいと思います。

深田卓（ふかだたく）
一九四八年、京都市に生まれる。イザラ書房をへて一九七九年インパクト出版会を創業。

福本順次（ふくもとじゅんじ）
一九四九年生まれ。発表した小説は「行逢坂」（『作品』）「石の枕」「京子の部屋」「ガレージ」「女権現」（『海燕』）、「生贄」（季刊ミッドナイトプレス）、連作「一対」（MP・WEB版、二〇一七年）など。ホームページは http://yukiai-zaka.sakura.ne.jp

藤井孝（ふじいたかし）
一九五三年新潟県燕市（旧吉田町）生まれ。音楽を通じて岡田さんと出会う。

ふし文人（ふしふみと）
映画詩人。留学中にニューヨーク大学で映画作りと出会う。京都で大学卒業後、大阪の映画スクールに一年通い、井筒監督に師事する。上京し「パッチギ！LOVE&PEACE」などの現場に参加。また俳優訓練も受けて、シェイクスピア、ニール・サイモンなどの戯曲、『十二人の怒れる男たち』の舞台にも出演。「東京サバ女子映画シリーズ」は監督として、海外映画祭などに多数セレクション・上映。そして演技ワークショップを主宰。二〇一九年の秋に処女詩集「サラサラと流れる水くさい水」発売。

古沢健太郎（ふるさわけんたろう）
一九八八年生　ミュージシャン。アンビエント、ドローン、ノイズを軸とした楽曲を制作。ポエトリーリーディング等と共演のライブ活動も行う。

松岡祥男（まつおかつねお）
一九五一年高知県生まれ。著書『意識としてのアジア』（深夜叢書社）『猫々堂主人』（ボーダーインク）『ニャンニャン裏通り』『吉本隆明さんの笑顔』（いずれも猫々堂）ほか。『吉本隆明資料集』（全191集）を自家発行。編集・吉本隆明『追悼私記　完全版』（講談社文芸文庫）吉本隆明『詩歌の呼び声―岡井隆論集』（論創社）ほか。現住所780―0921高知市井口町45

水島英己（みずしまひでみ）
奄美徳之島に生まれる。詩集に、『垂直の旅』『気のないシャーマン』（以上は雀社刊）、『今帰仁で泣く』『楽府』『小さなものの眠り』『野の戦い、海の思い』（以上は思潮社刊）。

三原由起子（みはらゆきこ）
一九七九年福島県浪江町生まれ。二〇〇二年共立女子大学国際文化学部卒業。二〇一三年第一歌集『ふるさとは赤』を出版。現在、現代歌人協会会員、日本歌人クラブ参与。

森路子（もりみちこ）
児童詩誌「青い窓」との出会いがきっかけでサトウハチロー「木曜手帖」、日本詩人クラブ、ミッドナイト・プレス、八木幹夫「山羊塾」で詩を学ぶ。現在は、影絵作家であり総合芸術演出家、文筆家でもある藤城清治のもとで、人生の光と影を学ぶ日々。

八木幹夫（やぎみきお）
一九四七年、神奈川生まれ。著書に、『野菜畑のソクラテス』『八木幹夫詩集』『川・海・魚等に関する個人的な省察』など九冊の詩集、歌集『青き返信』ほか。
山羊（さんよう）という俳号で俳句を詠む。『渡し場にしゃがむ女　詩人西脇順三郎の魅力』（二〇一四）、『郵便局まで』（二〇一九）をミッドナイト・プレスから刊行。

藪下明博（やぶしたあきひろ）
一九六二年五月八日、北海道函館市生まれ。建築家・詩人。東京理科大学工学部Ⅱ部建築学科卒業。Ｄｅｓｋ・Ⅱ一級建築士事務所代表。国士舘大学理工学部建築学系非常勤講師。季刊「幻想文学」等に書評、エッセーを発表する傍ら、倉阪鬼一郎氏主宰「幻想卵」後期に参加。詩集に『卵屋のじっちゃの幽霊屋敷』、『死の幻像』（共にアトリエＯＣＴＡ刊）、『蝶』（私家版）がある。

山本かずこ（やまもとかずこ）
一九八六年十一月一日、岡田幸文と結婚。高知生まれ。詩集に『渡月橋まで』『思い出さないこと　忘れないこと』『いちどにどこにでも』『恰も魂あるものの如く』（以上ミッドナイト・プレス刊）など、散文に『日日草』（北冬舎刊）など、著書多数。

鷲平京子（わしひらきょうこ）
一九五五年、札幌生まれ。イタリア文学者。訳書に『愛神の戯れ――牧歌劇《アミンタ》――』『シチリアでの会話』『タッソ　エルサレム解放』（いずれも岩波文庫）など。

渡邉一（わたなべはじめ）
一九五〇年、山梨県生まれ。詩論を中心に文学・芸術論ほか創作（ブログ《インナーエッセイ》）。詩論に『北に在る詩人達』（私家版）、『流謫と「北方」　鷲巣繁男の世界の成立と現在』（ミッドナイト・プレス）、創作に『彼女たちのピアニシモ』（私家版）ほか。

SPECIAL THANKS

（敬称略）

青木孝太	秋亜綺羅	浅野言朗
井坂洋子	石館康平	伊藤康司
伊藤早苗	井上弘治	大沼　悠
大原信泉	小川三郎	小沢信男
笠貫　良	兼子利光	川岸則夫
川津　望	久谷　雉	小林レント
笹原玉子	里中智沙	眞田幸子
柴田千晶	清水鱗造	正津　勉
菅間　勇	瀬尾育生	芹沢俊介
芹沢美保	そとめそふ	高鶴礼子
谷川俊太郎	玉城入野	戸部美奈子
中西・ホーリー・三助	中村剛彦	中村文昭
二沓ようこ	根石吉久	根本　明
平居　謙	平井るみ子	深田　卓
福本順次	藤井　孝	ふし文人
古沢健太郎	松岡祥男	水島英己
三原由起子	森　路子	八木幹夫
藪下明博	鷲平京子	渡邉　一

ひとりの死は沢山の親しい生によって生き直される。
漱石の言う非人情に生きる詩人たちの情が胸を打つ。
——谷川俊太郎

谷川俊太郎様に帯文を書いていただきました。岡田共々、心よりお礼申し上げます。（山本かずこ）

ただ、詩のために
——岡田幸文追悼文集

二〇二一年十二月九日発行
編集人　中村剛彦
装　丁　大原信泉
発行者　岡田和子
発行所　ミッドナイト・プレス
埼玉県和光市白子三 - 十九 - 七 - 七〇〇二
電話　〇四八（四六六）三七七九
振替　〇〇一八〇 - 七 - 二五五八三四
http://www.midnightpress.co.jp
印刷・製本　モリモト印刷

ISBN978-4-907901-23-3